GUIDE DES AIDANTS NATURELS

Un manuel sur les soins de fin de vie

Karen Macmillan   Jacquie Peden

Jane Hopkinson   Dennie Hycha

Publié par

L'Ordre militaire et hospitalier de Saint-Lazare de Jérusalem

et

L'Association canadienne de soins palliatifs

Données pour les catalogues canadiens des publications :
Guide des aidants naturels : un manuel sur les soins de fin de vie/
Macmillan, Karen ... [et al.]

Copublié par l'Association canadienne de soins palliatifs.
Inclut une bibliographie et un index.
ISBN : 0-9686700-2-4

1. Manuel pour les personnes aux prises avec une maladie terminale, soins à domicile, etc. 2. Traitements palliatifs, manuels, etc. I. Macmillan, Karen II. Ordre hospitalier de Saint-Lazare de Jérusalem. III. Association canadienne de soins palliatifs.

R726.8.C371 2004   649.8   C2004-904456-7

Association canadienne de soins palliatifs
Pièce 131C, 43, rue Bruyère
Ottawa (Ontario) K1N 5C8
Téléphone : (613) 241-3663, 1-800-668-2785

Le *Guide des aidants naturels* sera remis aux familles gratuitement, dans tout le Canada, par leurs centres régionaux de soins palliatifs, leurs programmes de soins palliatifs ou leurs associations provinciales de soins palliatifs. Les autres personnes peuvent acheter ce livre en s'adressant à l'Association canadienne de soins palliatifs, au coût de 25 $ (y compris TPS, frais d'envoi et de manutention).

Couverture conçue par Joni Millar, Tilt Creative
Conception originale, graphisme et illustrations par Robert Weidemann
Imprimé et relié au Canada par Transcontinental Printing.

Dédicace

Le Guide des aidants naturels

est dédié à tous les Canadiens

qui aident un ami ou une personne chère

à effectuer son dernier voyage.

Nous espérons que

ce livre les aidera.

« Sois près de moi quand ma lumière
s'éteindra »
In Memoriam
Alfred, Lord Tennyson

Préface

Dans le parcours long et douloureux emprunté lorsqu'un être cher est la proie d'une maladie grave, les aidants membres de la famille souffrent toujours aux côtés du patient, mais leurs besoins sont souvent négligés.

Lorsqu'il est question d'une maladie mortelle, nos pensées vont d'abord à la personne mourante. Il reste que l'aide de la famille est habituellement le pilier des soins prodigués au malade.

Les membres de la famille sont souvent ceux qui soignent et accompagnent leur proche aux prises avec des problèmes de santé physique ou mentale pour lui apporter un soutien affectif, psychologique, spirituel et social, et ils le font généralement avec un minimum d'expérience ou d'information, sinon aucune. Ils sont les acteurs clés dans les soins apportés en milieu familial ou communautaire. Et pourtant, ils reçoivent très peu de reconnaissance et de soutien pour le rôle important qu'ils jouent, en particulier à la lumière du fait que beaucoup de Canadiens préfèrent passer les derniers jours de leur vie en milieu familial ou communautaire plutôt que dans un hôpital, un centre de soins de longue durée ou un autre établissement.

Ces acteurs clés du système de santé passent souvent inaperçus même si, malgré la difficulté d'avoir à accompagner un proche mourant, ils peuvent trouver l'expérience enrichissante et ressentent la grande utilité de leur rôle d'aidant.

En tant que ministre responsable des soins palliatifs, j'estime que la qualité des soins de fin de vie n'est possible que si non seulement la personne mourante mais aussi les membres de sa famille reçoivent l'aide et le soutien nécessaires, bien mérités. C'est la raison pour laquelle j'ai fait des aidants une de mes trois priorités. En fait, le gouvernement fédéral s'est engagé récemment à établir une nouvelle prestation pour les soins donnés à une personne gravement malade dans le cadre du régime d'assurance-emploi, prestation entré en vigueur en janvier 2004.

En raison de mon travail et de mon expérience touchant les soins de fin de vie et parce que je pense que les aidants doivent participer à nos discussions sur le sujet et doivent voir leurs besoins satisfaits pour être en mesure de donner de bons soins, j'estime qu'ils ont besoin des connaissances et de l'information qui sont indispensables à leur difficile parcours.

Je ne doute aucunement qu'une initiative aussi cruciale que ce guide saura orienter et assister les aidants. C'est un document qui a été rédigé dans leur perspective et qui a une portée nationale. Il est clair, concis et riche en informations, en connaissances et en expériences qui proviennent autant de membres de la famille que de professionnels des soins palliatifs de différentes régions du pays et de différents domaines, comme les soins infirmiers, la médecine, la pharmacie et l'action pastorale.

Pour toutes ces raisons, je n'ai aucune hésitation à souligner l'importance de cet ouvrage. J'espère sincèrement qu'il donnera un nouvel élan au débat nécessaire sur le rôle essentiel des aidants dans notre système de santé et sur l'influence impérissable qu'a sur eux leur expérience auprès des mourants.

La ministre responsable des soins palliatifs, Sharon Carstairs

Pendant son poste de ministre responsable des soins palliatifs (2001-2003), la sénatrice Carstairs a été une championne active du développement et de la promotion des soins de fin de vie de qualité au Canada.

La rédaction du
Guide des aidants naturels

Cette édition nationale révisée du *Guide des aidants naturels : Un manuel sur les soins de fin de vie* a été élaborée par l'Ordre militaire et hospitalier de Saint-Lazare de Jérusalem avec le soutien de l'Association canadienne de soins palliatifs.

Ce manuel a été publié à l'origine en Alberta en 2000, plus de 15 000 exemplaires ayant depuis été distribués gratuitement aux aidants naturels par le biais de programmes de soins palliatifs, de soins à domicile et de centres de soins palliatifs de toute la province. De plus, 7 000 exemplaires comportant des informations provinciales modifiées ont aussi été distribués par l'Ordre dans le sud-ouest de l'Ontario en 2003. Suite à de nombreuses demandes émanant de toutes les régions du Canada en vue d'une édition révisée et nationale, et grâce aux encouragements de la sénatrice Sharon Carstairs, alors ministre responsable des Soins palliatifs, l'Ordre militaire et hospitalier de Saint-Lazare s'est engagé à soutenir la publication de cette édition.

L'édition originale était un projet conjoint de la Palliative Care Association of Alberta et de l'Ordre militaire et hospitalier de Saint-Lazare de Jérusalem. Ce fut le fruit de contributions et de commentaires d'aidants naturels et de nombreux professionnels des soins palliatifs de l'Alberta travaillant dans le domaine des soins infirmiers, de la médecine, des services sociaux, de la pharmacie, de la nutrition, de la physiothérapie, de l'ergothérapie et du counseling pastoral. Le manuel était conçu pour aider les aidants naturels en venant compléter les conseils et l'assistance qu'ils reçoivent de la part des professionnels en soins palliatifs et en soins à domicile.

Sur une période de 12 mois, des professionnels des soins palliatifs de toute la province ont fourni des suggestions concernant la conception, la forme et le contenu du *Guide des aidants naturels*. Une équipe de professionnels chevronnés des soins palliatifs et d'éducateurs en santé ont révisé, compilé et rédigé le *Guide des aidants naturels* en se basant sur cette participation. Après un processus complet de révision interne, des copies des ébauches ont été renvoyées à deux occasions aux professionnels des soins palliatifs et aux aidants naturels non professionnels. Ce produit final résulte de l'étude attentive de leurs réponses. Nous apprécions vivement leur soutien généreux et leur participation à ce projet important.

Les personnes qui ont contribué à ce guide et qui ont fourni des commentaires sont bien trop nombreuses pour qu'on puisse les mentionner toutes, mais participent aux soins palliatifs ou les soutiennent par le biais des régions suivantes de l'Alberta. Karen MacMillan et Jacquie Peden ont compilé la première ébauche à titre d'infirmières consultantes pour le Programme de soins palliatifs régional The Capital Health.

Cette édition a été révisée par des membres de l'équipe originelle de rédacteurs ainsi que par des professionnels des soins palliatifs de tout le Canada.

Les éditeurs voudraient remercier particulièrement les personnes et les organismes suivants pour leurs contributions au contenu du manuel :

- Le personnel de l'Université McGill, Centre de santé, Programme de soins palliatifs, particulièrement Nathalie Aubin et Martin Lavigne, Montréal (Québec)

- Donalda Carson, Hospice Prince George, Prince George (C.-B.)

- Sharon Baxter, directrice générale et Greg Adams, coordinateur administratif, Association canadienne de soins palliatifs

Comité de publication
(Information sur le comité pour l'édition originale, 2000)

Le comité de publication a comporté des personnes présentant un éventail varié d'expérience et de compétence dans de nombreux domaines des soins palliatifs et de l'enseignement de la santé. Ce sont les suivantes :

Dennie Hycha, IA, MN   Coprésidente de la publication et de l'édition

Instructrice de soins palliatifs au Programme de soins palliatifs du Collège Grant MacEwan, Dennie Hycha possède une expérience clinique des soins palliatifs dans le cadre des soins à domicile en région rurale, comme infirmière d'établissement dans une unité d'oncologie et instructrice clinique d'étudiants d'une unité d'oncologie et de soins palliatifs. C'est actuellement la présidente de la Palliative Care Association of Alberta, son éducation supérieure ayant été axée sur les soins palliatifs cliniques.

Robert W. Clarke, CD   Coprésident de la publication et de l'édition

Actuellement éditeur du magazine *Family Health*, Robert Clarke a suivi une longue carrière dans tous les aspects de l'industrie canadienne de la publication des magazines. Après avoir fondé *Family Health* en 1985, il a participé à une variété de programmes et de stratégies de promotion et d'enseignement de la santé. Il est également commandeur à la Commanderie d'Edmonton de l'Ordre de Saint-Lazare et siège au comité exécutif national de l'Ordre depuis cinq ans.

Carleen Brenneis, IA, MHSA   Conseillère en édition

Directrice des programmes du Programme régional de soins palliatifs, Capital Health Authority, Carleen Brenneis possède une expérience des soins infirmiers dans le domaine du cancer et des soins palliatifs. Elle est actuellement membre du groupe de travail de soins palliatifs pour la stratégie canadienne de lutte contre le cancer.

Jane Hopkinson, BN, MN   Éditrice

L'expérience des soins infirmiers de Jane Hopkinson remonte à 40 ans. Pour son baccalauréat, elle a analysé le vocabulaire des textes d'enseignement sur la santé. Depuis 1985 jusqu'à son départ à la retraite en 2001, elle a utilisé ces connaissances pour travailler à titre de rédactrice et éditrice d'informations sur la santé destinées tant au public qu'aux professionnels des soins de santé, principalement pour le gouvernement de l'Alberta et le magazine Family Health. Elle a été membre de la American Medical Writers Association et possède un certificat de rédaction et d'édition décerné par cet organisme.

Karen Macmillan, IA, BScN   Rédactrice

Karen Macmillan travaille dans le milieu des soins palliatifs, à diverses capacités infirmières, depuis les 12 dernières années. Elle est actuellement infirmière d'évaluation communautaire pour l'unité tertiaire de soins palliatifs au Grey Nun's Community Hospital and Health Centre. Son expérience inclut une aide au programme de certification en soins palliatifs du Collège Grant MacEwan et elle vient récemment d'obtenir un certificat en enseignement aux adultes et formation continue à la Faculty of Extension de l'Université de l'Alberta.

Jacquie Peden, IA, MN   Rédactrice

Ayant travaillé dans une variété de milieux à titre d'infirmière, au cours des 25 dernières années, Jacquie Peden a récemment acquis de l'expérience dans le domaine de la prestation de soins à domicile aux personnes en phase terminale. Actuellement associée au Collège communautaire Grant MacEwan à titre d'instructrice au programme de certification en soins palliatif, elle travaille également comme infirmière consultante indépendante auprès de la région de santé du centre est, à titre de responsable du programme de soins palliatifs et responsable de contrats pour un projet visant à fournir un enseignement sur Internet et des informations aux médecins et infirmières travaillant dans le domaine des soins palliatifs.

Edna McHutchion, Phd   Consultante

Actuellement professeure agrégée émérite à l'Université de Calgary, Edna McHutchion est ancienne doyenne agrégée du programme d'études supérieures en sciences infirmières de l'Université de Calgary. Elle possède une grande expérience de la pratique des soins infirmiers palliatifs et est ancienne présidente de l'Association canadienne de soins palliatifs.

Pam Berry Otfinowski, IA, BA, BScN   Consultante

Ayant fait ses études dans le domaine de la recherche en santé et culture et soins infirmiers, Pam Berry Otfinowski a travaillé à titre d'infirmière clinique et d'infirmière de recherche dans une variété de milieux de soins palliatifs. Actuellement, elle est coordinatrice de programmes pour la Alberta Cancer Board's Palliative Care Network Initiative, qui collabore avec les régions pour les aider à optimiser leurs programmes et services existants de soins palliatifs.

Norman Sande, BEd, MEd   Consultant

Ayant 34 ans d'expérience à titre d'enseignant et d'administrateur d'école secondaire, Norman Sande a récemment pris sa retraite du Conseil scolaire public d'Edmonton. Il est actuellement membre du conseil national de l'Ordre militaire et hospitalier de Saint-Lazare de Jérusalem.

Remerciements

Nous désirons remercier les personnes suivantes pour leur aide importante à la publication et à la distribution de cette édition nationale révisée, publiée en 2004, du *Guide des aidants naturels* :

- Pour leur généreux appui financier :
  - Great West Life, London Life et Canada Life
  - Alberta Cancer Foundation
  - Ministère du Patrimoine canadien : aide en matière de traduction
  - Pallium Network
  - Commanderie d'Edmonton, Ordre de Saint-Lazare
  - Succession Charles R. Vint
  - Jackman Foundation
  - Grant James Gehlsen, CLJ
  - Commanderie de Montréal, Ordre de Saint-Lazare

- Soutien administratif et éditorial :
  - Les membres et le personnel de l'Association canadienne de soins palliatifs et la Palliative Care Association of Alberta ont fait de nombreuses contributions à cette édition nationale révisée, surtout sur le plan de la distribution.
  - Joni Millar et Jillian Millar Drysdale de Tilt Creative, Jan Crouch du *Family Health Magazine* et Jean Matheson, de l'Ordre de Saint-Lazare, ont contribué grandement à la production et à l'administration.

- Le soutien enthousiaste de l'honorable Sharon Carstairs, CP, a joué un rôle clé pour encourager les éditeurs à publier cette version.

Gael Page, présidente,
Sharon Baxter, directrice générale,
Association canadienne de soins palliatifs

Robert W. Clarke, KCLJ, président du Comité médical,
Robert H. Vandewater, GCLJ, grand prieur
Ordre de Saint-Lazare

Nous désirons aussi remercier les personnes, les compagnies et les organismes suivants qui ont tous joué un rôle essentiel dans la préparation de l'édition 2000 du Guide des aidants naturels :

- Pour leur soutien financier très généreux sans lequel la publication et la distribution du *Guide des aidants naturels* n'auraient pas été possibles :
  - Jack et Shirley Singer
  - United Inc. - Active Living Communities(tm)
  - The Alberta Cancer Foundation

- Le Capital Health Authority Regional Palliative Care Program et les membres de son personnel médical, infirmier et autre, qui ont si généreusement soutenu ce projet.

- La revue *Family Health*, et tout spécialement Cathy Berry, adjointe administrative qui, tout au long de l'élaboration de ce projet, a fourni un soutien administratif et logistique très nécessaire, en plus d'assurer la coordination de l'édition et d'autres formes de soutien à la production.

- Le directeur et les membres de la Palliative Care Association of Alberta qui ont contribué activement à la planification et à la révision du *Guide des aidants naturels*.

- Les membres des commanderies de Calgary et d'Edmonton de l'Ordre de Saint- Lazare qui, de nombreuses manières différentes, ont soutenu la publication de ce livre.

- Les contributions précieuses de Rob Weideman en matière de conception, de graphisme et d'illustration du *Guide des aidants naturels*.

Nous désirons rendre hommage aux nombreux professionnels des soins palliatifs et des soins à domicile dont la mission est d'aider leurs concitoyens de l'Albeta à surmonter cette étape difficile de la vie.

Dennie Hycha, présidente
Palliative Care Association of Alberta

Robert Clarke, commandeur, Edmonton
Ordre de Saint-Lazare

Table des matières

Introduction

Pour comprendre les soins palliatifs

Quand on prend soin de quelqu'un affecté par une maladie terminale, on relève ce que de nombreuses personnes décrivent comme l'un des défis les plus difficiles, mais peut-être les plus enrichissants de la vie. Cela ne va pas être facile. Bien que vous ne puissiez pas empêcher cette personne chère de mourir, vous pouvez aider à rendre ses derniers jours plus confortables. Les soins, à cette étape de la vie, sont appelés soins palliatifs.

L'Organisation mondiale de la santé, dans sa définition des soins palliatifs, déclare que l'objectif est de « fournir la meilleure qualité de vie possible pour les patients et leur famille ». Dans ce but, les soins palliatifs :

- considèrent la mort comme faisant partie inévitable de la vie.
- n'accélèrent pas et ne retardent pas la mort.
- fournissent un soulagement de la douleur et d'autres symptômes éprouvants.
- recouvrent tous les aspects des soins, y compris les soins physiques, psychologiques, sociaux, émotionnels et spirituels.
- offrent un système de soutien permettant aux patients de vivre de manière aussi active que possible jusqu'à la mort.
- fournissent un soutien à la famille aux prises avec la maladie de l'être cher et pendant le chagrin qui suit la mort.
- respectent les valeurs personnelles, culturelles, religieuses, les croyances et le mode de vie.

Un aidant naturel peut être un membre de la famille ou un ami disponible pour s'occuper de la personne mourante. Les soins peuvent aussi être fournis par un groupe. Le choix de fournir des soins palliatifs peut être difficile à faire. Il faut considérer de nombreux facteurs, y compris votre santé, et votre capacité, tant physique qu'émotionnelle, de fournir des soins. Vous devrez aussi prendre en considération votre relation précédente avec la personne. Fournir des soins pourrait vouloir dire que vous devrez vous absenter du travail, et ceci pourrait être une décision majeure pour vous. Le gouvernement fédéral offre maintenant un programme de prestations de soins de compassion destiné aux personnes qui fournissent des soins ou un soutien à un membre de la famille gravement malade. Voir annexe VIII pour obtenir des détails supplémentaires à ce sujet.

Soigner une personne à la maison peut être stressant sur le plan physique et émotionnel. Cependant, il n'est pas nécessaire que vous le fassiez seul. Vous pourrez obtenir un soutien de la part de l'équipe de soins de santé de votre région.

Une approche d'équipe, avec vous comme membre clé, est souvent la meilleure façon de fournir des soins à domicile. Cette équipe pourrait consister du médecin de famille, de l'infirmière de soins à domicile, d'autres professionnels de la santé, d'un pasteur ou conseiller spirituel, de bénévoles, d'autres membres de la famille et d'amis. Avec une approche d'équipe, on pourra combler le mieux possible les besoins physiques, émotionnels, psychologiques et spirituels du malade et de sa famille.

Cette équipe aide également à vous fournir des soins et un soutien. Vous aurez besoin de partager vos inquiétudes ou vos pratiques culturelles et spirituelles avec les membres de l'équipe, pour que vos besoins soient comblés. Ils pourront vous aider, vous et votre être cher, à faire face aux questions qui se posent et aux étapes du processus de mort, et aideront à faire de ce dernier voyage de la vie la meilleure expérience possible.

Même si vous vous êtes engagé, vous devrez prendre des pauses pour vous reposer de votre rôle de soignant. Il pourrait s'agir tout simplement de quelques minutes pour aller vous promener, lire un livre ou parler à un ami. Souvenez-vous toujours qu'il est possible de changer d'avis concernant votre décision de jouer le rôle d'aidant naturel.

La plupart des aidants naturels déclarent qu'obtenir les informations appropriées est l'un des besoins les plus importants quand on fournit des soins palliatifs à domicile. Ce manuel a été préparé pour fournir ces informations. Pour l'utiliser du mieux possible, utilisez-le quand vous aurez besoin d'informations sur un certain sujet. Discutez de tout ce que vous ne comprenez pas avec votre professionnel de la santé. Si vous lisez le livre tout entier, souvenez-vous que certaines sections pourraient ne pas s'appliquer à vous. Chaque personne est différente et pourrait vivre la maladie de manière unique.

Il y a certaines choses que vous devrez garder à l'esprit en utilisant ce manuel.

- Les termes médicaux que vous pourriez ne pas comprendre ont tous été expliqués. Les pages où vous trouverez ces explications sont indiquées à l'Index.
- Le manuel a été relié de manière à vous permettre de l'ouvrir à n'importe quelle page sans crainte de l'endommager.
- Tout au long du manuel, des suggestions sont proposées en matière de noms de marque disponibles pour vous aider à régler des problèmes particuliers. Cette liste n'est pas complète et de nombreux autres produits pourraient fonctionner tout aussi bien. Demandez des conseils à votre pharmacien. Toute mention de marque spécifique ne signifie pas que les rédacteurs de ce guide appuient ce produit.

Noms et numéros de téléphone des personnes-contacts

Tout au long de ce guide et sous le titre Points importants, on vous suggère d'appeler pour obtenir de l'aide au sujet de certaines situations spécifiques. Les informations concernant qui appeler n'ont pas été incluses parce que les besoins de chaque personne sont différents. Souvent, cela veut dire que vous devrez appeler votre infirmière de soins à domicile. Demandez à un membre de l'équipe de soins de santé de vous aider à savoir qui appeler pour des préoccupations spécifiques. Vous trouverez à la page suivante une liste de ces personnes avec un espace blanc où vous pourrez indiquer leur numéro de téléphone. Vous pourriez trouver utile de photocopier cette page pour la garder en vue. Il y a aussi des pages blanches à la fin du livre où vous pourrez prendre des notes concernant vos besoins spécifiques et les gens qui pourront vous aider.

	Nom	N° de téléphone
Médecin de famille		
Coordinatrice des soins à domicile		
Infirmière de soins à domicile (CLSC au Québec)		
Physiothérapeute		
Ergothérapeute		
Travailleuse sociale		
Travailleuse de soutien/auxiliaire familiale		
Bénévole		
Prêtre, pasteur ou conseiller spirituel		
Pharmacien		
Thérapeute respiratoire		
Vendeur d'équipement respiratoire		
Diététiste		
Famille et amis		
Autres contacts		

Quand un diagnostic de maladie terminale est posé

ACCEPTER CE QUI SE PASSE

Quand un proche présente une maladie terminale, l'adaptation est extrêmement difficile. Cela prend généralement beaucoup de temps et d'efforts pour accepter ce qui se passe. Pour toutes les personnes concernées, il y a une sensation très normale de s'approcher d'une période de changement et de perte. Ces sentiments provoquent généralement une réaction appelée chagrin par anticipation.

Pendant cette période, en tant qu'aidant naturel, vous pourriez avoir l'impression que :

- le temps ne passe pas.
- les priorités changent
- la vie et la mort prennent une signification différente.
- ce qu'auparavant vous aviez pris pour acquis est changé pour toujours.
- vos espérances pour l'avenir ont disparu.
- la vie pourrait même perdre son sens pendant un certain temps.

CE À QUOI VOUS ET LA PERSONNE CHÈRE POUVEZ VOUS ATTENDRE

Savoir que la mort n'est pas très loin affecte tous les aspects de la vie.

- Le choc, la paralysie, la crédulité, la panique, le désespoir et la détresse sont courants.
- Vous pourriez penser à toutes les pertes et à tous les changements avec lesquels vous avez été aux prises, ainsi que ceux qui se présentent actuellement et qui se présenteront à l'avenir. Ceci inclut les rôles familiaux, le contrôle sur les événements de la vie, l'image corporelle, la sexualité, les changements financiers, les espérances d'avenir et les rêves.
- Vu votre anxiété, vous avez peut-être des craintes accrues concernant la mort, la douleur non maîtrisée et la souffrance.
- Vos émotions pourraient ressembler à des montagnes russes.
- Il y aura des moments où vous aurez une attitude de déni face à ce qui se passe et d'autres moments où tout semblera beaucoup plus facile à supporter.
- Vous penserez peut-être que les autres ne semblent pas être aussi affectés que vous.
- La colère, la tristesse, la culpabilité et le blâme pourraient sembler bouleversants.
- Il y aura des périodes où vous vous demanderez « Pourquoi est-ce que ceci m'arrive? ».

Ces sentiments pourraient persister pendant des semaines et changer d'un jour à l'autre, d'une heure à l'autre. Alors que chaque nouvelle perte vous apporte du chagrin, il pourrait vous sembler que vous vivez un cauchemar dont vous espérez bientôt vous réveiller.

- Toutes ces réactions sont normales.
- Chaque personne fait l'expérience du chagrin, avant et après la mort, de manière très personnelle et celui-ci doit se dérouler à son rythme propre, de manière individuelle.
- Il n'y a pas de remèdes établis qui vous aideront, mais certaines choses pourraient vous faciliter la tâche.

COMMENT VOUS POUVEZ AIDER L'ÊTRE CHER ET VOUS AIDER VOUS-MÊME

Si vous et la personne chère partagez un chagrin par anticipation, vous pourrez vous aider mutuellement et vous réconforter en partageant des moments spéciaux.

- Laissez-vous dicter par la manière dont la personne se sent, mais tenez compte également de vos sentiments à vous. Garder un journal quotidien pourrait vous aider à faire ceci.
- Soyez franc, surtout quand vous et la personne chère allez mal. Tout le monde, malade ou en bonne santé, devrait être traité avec honnêteté.
- Respectez l'intimité du malade et laissez-lui autant de contrôle que possible au moment de prendre des décisions concernant les soins et les activités.
- Évitez de donner trop de conseils et ne vous offusquez pas si on ne tient pas compte de vos suggestions.
- Partagez vos espérances, vos pensées et vos sentiments avec la personne chère. Cela pourrait vous fournir à tous deux du réconfort et permettre de mieux comprendre ce qui est important, comment vous pourrez fournir le meilleur soutien possible.
- Savourez les bons jours et profitez au maximum de votre temps ensemble. Ceci pourrait être une bonne occasion pour vous et la personne chère de partager des moments spéciaux et de vous souvenir des côtés importants de votre vie. Cela pourrait vous aider tous deux à vous adapter à ce qui se passe.
- Souvenez-vous de votre vie ensemble, des bons côtés et des côtés moins bons.
- Incluez autant que possible la personne chère aux activités familiales.
- Passez du temps ensemble à parler, écouter de la musique, regarder la télévision, jouer aux cartes ou à des jeux de société. Partagez vos pensées et vos émotions, votre rire et vos larmes.
- Efforcez-vous de résoudre tous les conflits et toutes les questions non résolues restantes. Si ceci est difficile, une tierce personne pourrait vous aider tous deux à arriver à une entente.

- Partagez vos plans d'avenir, même si ceci semble impossible à imaginer.
- Aidez la personne à mettre ses affaires en ordre. Régler les questions de succession pourrait vous aider tous deux à vous préparer. C'est le bon moment de vérifier que le testament de la personne chère est à jour et que vous savez où il se trouve.
- Prenez soin de vous. Parlez de vos émotions et de vos inquiétudes avec quelqu'un en qui vous avez confiance et qui comprend votre situation, comme un membre de la famille, un ami ou une amie, un intervenant ou un conseiller religieux.
- Observez les routines familiales importantes et ne vous préoccupez pas des autres pendant un certain moment.
- Connaissez et acceptez vos limites. Vous ne pouvez pas fournir toutes les réponses, résoudre tous les problèmes ou fournir tous les soins. Acceptez de l'aide des personnes qui désirent y participer.

CE À QUOI VOUS POURREZ VOUS ATTENDRE QUAND L'ÉTAT DE LA PERSONNE CHÈRE EMPIRERA

Avec l'évolution de la maladie, vous et la personne chère ressentirez de nombreuses émotions changeantes.

- Vous pourriez présenter une augmentation de la crainte, de l'impatience, de l'anxiété, de l'irritabilité et de la tristesse.
- Vous pourriez tous deux vous sentir sans pouvoir, confus et hors de contrôle.
- Il est courant de présenter des sautes d'humeur entre les périodes de déni et d'acceptation, d'espérance et de désespoir.
- La personne mourante pourrait se retirer des activités normales de la vie quotidienne.

POINTS IMPORTANTS

- Il ne faut pas dire à une personne triste d'être « de meilleure humeur » car ceci ne servirait qu'à créer encore plus d'anxiété et de distance.

- **Demandez de l'aide si :**

  - *la crainte, l'anxiété ou la tristesse sont graves ou durent plusieurs jours, ou si la personne exprime des idées suicidaires.*

  - *si la personne refuse de manger, ne peut pas dormir et ne s'intéresse pas aux activités de la vie quotidienne. (Gardez à l'esprit que ceci pourrait être normal pendant les derniers jours de la vie mais pourrait indiquer un besoin d'aide à cette étape.)*

  - *les sentiments de culpabilité, de ne rien valoir et de désespoir sont puissants.*

  - *la personne se plaint de ne pas pouvoir respirer, transpire ou est très agitée, parce que ceci pourrait être des symptômes d'anxiété.*

  - *vous êtes fatigué et avez besoin d'une relève*

- Des changements au niveau de l'apparence physique pourraient rendre la personne hésitante à avoir des contacts avec les autres.
- La personne pourrait devenir anxieuse en pensant qu'elle pourrait devenir un fardeau.
- À certains moments, vous pourriez ne pas être certain de ce qu'il faut faire.
- Vous pourriez devenir distrait, ce qui vous conduira à vous demander si vous perdez la mémoire.
- Vous pourriez avoir des inquiétudes concernant la manière dont vous allez vous adapter, maintenant et après la mort.
- Vous pourriez penser beaucoup plus à votre propre mortalité.

LES AUTOSOINS - LE SOIN DE L'AIDANT NATUREL

Soigner la personne chère malade peut être gratifiant, mais c'est aussi épuisant, tant sur le plan physique qu'émotionnel. Il est difficile de prédire pendant combien de temps vous allez devoir soigner la personne. Si vous devez continuer de donner de vous à l'autre, vous devez vous assurer de vous soigner vous aussi.

CE QUE VOUS POUVEZ FAIRE POUR VOUS SOIGNER VOUS-MÊME

Rester en bonne santé

Bien que la maladie terminale affecte la personne chère, c'est toute la famille qui en ressent les conséquences. Quand vous commencez à soigner la personne chère à la maison, vous pourriez être tenté de penser que vous devez combler les besoins de tout le monde autour de vous. Vous tendrez à oublier certains principes logiques vous permettant de diminuer votre charge de travail et de vous soigner.

- Préparez des repas nutritifs pour votre famille et mangez régulièrement, même s'il semble que vous soyez trop fatigué ou trop occupé.
- Préparez des portions doubles quand vous cuisinez pour avoir un deuxième repas prêt au congélateur.
- Achetez d'avance des collations saines, comme des fruits ou du fromage et des craquelins à grains entiers, pour les moments où vous serez très occupé mais aurez besoin de manger.

- Prenez le temps de suivre un horaire régulier d'exercice.
- Ne négligez pas vos rendez-vous réguliers chez le dentiste et chez le médecin.
- Prévoyez dormir quand la personne dort, si vous êtes fatigué.
- Demandez à quelqu'un de prendre la relève pour que vous puissiez avoir huit heures de sommeil ininterrompu si vous ne dormez pas bien pendant plusieurs jours d'affilée.
- Ne vous inquiétez pas si les tâches ménagères ne sont pas effectuées selon vos normes habituelles. Si vous pouvez le faire, embauchez quelqu'un pour faire le ménage lourd, comme passer l'aspirateur et faire la lessive. Ce type d'aide pourrait être disponible par le biais des soins à domicile ou d'autres services communautaires. Adressez-vous à votre infirmière de soins à domicile.
- Si vous avez un emploi, envisagez de demander un congé si c'est possible.

Les techniques d'adaptation

Soigner quelqu'un qui présente une maladie terminale est éprouvant, tant sur le plan mental que physique. Il est normal de sentir du désespoir, de la colère et de la frustration, mais la façon dont vous réagirez à ces émotions fera toute une différence concernant la manière dont vous vous sentirez après la mort de la personne chère.

- Demandez à des membres de la famille ou des amis de vous aider quand le fardeau semble trop lourd. Ils pourront vous aider à des tâches comme préparer des repas, tenir compagnie à la personne ou garder les enfants.
- Assurez-vous de prendre une pause quand vous en aurez besoin et ne vous sentez pas coupable de le faire. Au travail, vos pauses pourraient être tout simplement exécuter vos tâches, vous concentrer sur quelque chose d'autre que la personne que vous soignez.
- Souvenez-vous que les autres sont également tendus et essaient de s'adapter à la situation. Alors, essayez de voir les choses de leur point de vue quand des situations difficiles se présentent.
- Découpez les gros problèmes en tâches gérables en y travaillant une étape à la fois.
- Fixez-vous des objectifs réalistes concernant la quantité de travail que vous pourrez effectuer.
- Essayez de réserver des moments spéciaux pour les autres personnes chères de votre vie, même si cela veut dire prévoir des moments à passer avec elles pendant la journée.

Gérer vos émotions

Pour certains, l'expérience de fournir des soins palliatifs intensifie l'amour ressenti pour le mourant. Parfois, on ressent une augmentation de la force intérieure et de la détermination. Pour tout le monde, des sentiments de tristesse, de colère, de peur et d'anxiété sont normaux pendant les moments de stress. Vous vous sentirez bien un jour et mal le lendemain. Vous pourriez être en même temps triste et en colère. Vous pourriez craindre la perte de la personne chère, ressentir une colère concernant sa mort, la frustration de ne pas être en mesure d'en faire assez ou du stress vu la responsabilité accrue à la maison. Souvenez-vous qu'il n'y a pas de bonnes et de mauvaises manières de vous sentir en ce moment.

- Trouvez des moyens de vous défouler. Essayez de faire de l'exercice vigoureux, de donner des coups de poing à un oreiller ou de vous asseoir seul dans la voiture et de hurler : tout ce qui peut vous aider à soulager votre tension.
- Exprimez votre ressentiment. Si vous avez besoin de parler, adressez-vous à un ami, à un membre de la famille ou à un professionnel.
- Trouvez un groupe d'entraide où vous pourrez parler avec d'autres personnes qui ont vécu votre situation et comprennent vos sentiments. Votre infirmière de soins à domicile pourra vous signaler les groupes qui existent dans votre région.
- Envisagez de discuter de votre situation avec un membre de votre équipe de soins de santé si votre relation avec la personne a été affectée par des antécédents d'abus, d'alcoolisme ou de toxicomanie, de conflits. Vous pourriez avoir de gros problèmes en soignant la personne.
- Recherchez l'aide de votre conseiller spirituel ou religieux, si ceci peut vous aider.
- Évitez, dans la mesure du possible, les gens ou les situations qui provoquent chez vous de la colère.
- Éloignez-vous de la situation si vous sentez que votre frustration monte, avant de dire quelque chose sous l'effet de l'émotion.
- Pleurez si cela vous aide. C'est une réaction normale et c'est une bonne manière de faire face au stress.
- Riez sans vous sentir coupable. C'est une bonne manière de soulager la tension.
- Notez vos expériences dans un journal, comme moyen de libérer vos émotions.
- Appliquez les techniques de respiration profonde et de relaxation.
- Félicitez-vous de tout ce que vous avez fait.
- Demandez à l'infirmière de soins à domicile s'il y a une possibilité pour vous de recevoir un counseling, si vous pensez que cela vous aiderait.

Soins de relève

Les professionnels de la santé utilisent souvent le mot « relève ». Cela veut dire « repos ». La relève, c'est prendre une pause des responsabilités d'aidant naturel.

Vous reposer pourrait vous aider à recharger vos batteries et à être mieux en mesure de faire face à la situation, que vous quittiez physiquement la maison ou non. La durée de la pause dépend de la longueur de l'absence confortable pour vous.

- Demandez à un ami ou à un membre de la famille de soigner la personne chère pendant votre absence.
- Parlez à votre infirmière de soins à domicile qui pourrait être en mesure d'organiser des soins de relève.
- La personne chère pourrait être admise à un lit de soins de longue durée ou dans un hospice pendant une courte période, pour vous permettre de prendre une pause.
- Des personnes peuvent venir à la maison tenir compagnie au patient. Elles peuvent :
    - venir la nuit pour tenir compagnie à la personne.
    - lui donner à manger et à boire.
    - aider la personne à se déplacer dans le lit.
    - être à proximité tout simplement pour permettre à l'aidant naturel de prendre soin de lui-même ou d'elle-même.
- Expliquez à la personne chère que vous avez besoin d'aide supplémentaire pour continuer de lui fournir des soins à la maison.

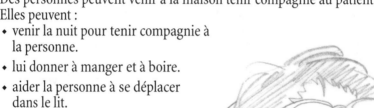

- Essayez de prendre des pauses d'activité physique en :
  - faisant une marche.
  - travaillant dans le jardin.
  - vous asseyant dans le jardin.
  - allant manger avec un ami.
  - allant au cinéma.
  - trouvant un endroit tranquille et méditer.
- Essayez de prendre des pauses d'activité mentale en :
  - méditant.
  - lisant un livre.
  - écoutant une musique vous aimez.
  - regardant la télévision.
  - faisant de l'artisanat.
  - parlant à un ami.
- Nourrissez votre spiritualité en vous adonnant à une activité spirituelle qui vous réconforte.

POINTS IMPORTANTS

«Épuisement» de l'aidant naturel

Le mot « épuisement » signifie l'épuisement des forces physiques ou émotionnelles. C'est une bonne description de la manière dont vous vous sentez parfois.

Recherchez de l'aide auprès de quelqu'un de votre réseau de soutien si vous vous trouvez dans l'une des situations suivantes :

- Le désir de fuir et d'échapper à votre responsabilité devient puissant.
- Votre activité est éparpillée et chaotique.
- Vous constatez un changement majeur au niveau de votre sommeil ou de votre alimentation.
- Vous êtes souvent irritable ou vous vous mettez facilement en colère.
- Vous oubliez des détails importants ou vous n'arrivez pas à vous concentrer.
- Vous utilisez l'alcool, des médicaments ou du tabac plus souvent qu'avant.
- Vous perdez plus de 10 livres, vous dormez moins de trois heures ou vous ne pouvez pas lire plus de quelques phrases sans perdre votre concentration.

Souvenez-vous que, souvent, consacrer quelques heures à vous-même c'est ce dont vous avez besoin tout simplement pour continuer d'assumer votre responsabilité.

LES RÉSEAUX DE SOUTIEN

Le soin d'un mourant n'est pas facile et nécessite la collaboration d'une équipe de gens ayant des compétences et des idées différentes. Vous êtes l'élément clé de cette équipe. D'autres membres de l'équipe sont là pour vous aider, vous et la personne chère. C'est un réseau qui inclut un soutien informel de la part des membres de la famille et des amis, ainsi qu'un soutien formel de la part de l'équipe de soins de santé.

LE SOUTIEN INFORMEL

Pour organiser votre groupe de soutien, déterminez qui est disponible ou qui a offert d'aider. Parfois, cette aide peut venir de sources inattendues et soyez préparé à la possibilité que des membres de la famille et des amis qui, vous le pensiez, seraient prêts à vous aider, ne veuillent pas participer aux soins.

- Faites une liste de ce qu'il faut faire et affichez-la de manière visible. Les visiteurs ne connaissent pas votre routine et pourraient hésiter à vous le demander, mais seraient prêts à faire des tâches comme changer la litière du chat ou faire la lessive s'ils savaient que vous en aviez besoin. Révisez et mettez à jour votre liste sur une base régulière.
- Demandez de l'aide. Beaucoup de gens veulent aider, alors assurez-vous qu'ils sachent comment vous donner un coup de pouce.
- Demandez l'aide à quelqu'un qui pourra trier les appels et fournir des informations.
- Demandez une aide pratique pour des tâches comme magasiner, préparer les repas et assurer l'entretien ménager.
- Renseignez-vous pour savoir quand les gens sont disponibles pour aider.
- Parmi les gens auxquels vous pourrez vous adresser pour demander de l'aide, on compte les suivants :
  - les membres de la famille, les amis, les voisins.
  - les membres de votre organisation sociale ou de votre religion.
  - le ministre du culte, le prêtre ou autres conseillers religieux ou spirituels.
- Renseignez-vous pour savoir qui pourrait être prêt à :
  - écouter vos inquiétudes.
  - s'asseoir avec la personne pendant que vous prenez une pause.
  - préparer un repas, faire la lessive, tondre le gazon, déblayer la neige.
  - aller chercher des médicaments ou vous conduire à un rendez-vous.
- Il pourrait y avoir des bénévoles, dans la collectivité, qui viendront faire des visites pour faire la lecture à haute voix, jouer aux cartes, fournir un transport ou tout autre soutien dont vous aurez besoin.

LE SOUTIEN FORMEL

Votre réseau de soutien formel sera plus structuré que le réseau informel.
Il pourrait inclure les personnes suivantes :

◆ Le médecin de famille acceptant de venir visiter la personne à la maison.

◆ L'infirmière de soins à domicile.

◆ Les autres membres de l'équipe de soins à domicile, comme ergothérapeutes, physiothérapeutes, travailleurs sociaux, thérapeutes respiratoires et bénévoles.

◆ Les préposés aux soins personnels et les préposés aux soins à domicile qui fournissent des soins et peuvent permettre à l'aidant naturel de prendre une pause.

◆ Le pharmacien, qui pourra livrer les médicaments à domicile et fournira des informations sur les médicaments.

◆ La diététiste.

◆ Les agences communautaires qui offrent des services de bénévoles utiles ou qui exigent des frais. Ceci inclut les repas, le nettoyage de la maison, le magasinage au supermarché, le déblayage de la neige devant la maison ou tondre le gazon.

• Vous pourrez demander à votre médecin de famille de l'aide pour contacter les soins à domicile ou vous pourriez téléphoner vous-même. Une personne responsable des soins à domicile viendra chez vous et évaluera vos besoins et ceux de la personne chère. Le type de soutien et de services fournis dépend de ce qui est disponible dans la région où vous vivez.

• Tous les programmes de soins à domicile disposent d'infirmières, mais certains pourraient ne pas inclure tous les professionnels indiqués ci-dessus.

POINTS IMPORTANTS

• Les réseaux de soutien sont là pour vous aider, vous et la personne chère, mais vous devrez être spécifique pour expliquer ce dont vous avez besoin.

• Souvenez-vous que de l'aide est disponible. Ne tentez pas de faire tout vous-même.

• Préparez des listes de questions et d'inquiétudes concernant le soin de la personne au fur et à mesure qu'elles se posent. Ayez-les devant vous quand vous parlez avec vos amis et avec les membres de l'équipe de soins de santé.

• Cela prend du temps pour s'habituer à avoir des gens qui vous aident à la maison. Même les visites des membres de l'équipe de soins de santé, comme infirmières ou préposés aux soins personnels, nécessiteront une période d'adaptation pour tous les membres de la famille.

- Les programmes de soins à domicile pourraient fournir des services différents à des endroits différents. Parmi les services supplémentaires que vous pourriez recevoir :
  - conseils relatifs aux symptômes de la personne et aux problèmes de santé.
  - soutien émotionnel pour vous et la personne chère.
  - visites pour déterminer ce dont vous ou la personne avez besoin.
  - aide sur le plan du bain, de l'alimentation ou du déplacement de la personne.
  - garde de la personne pendant que vous prenez une pause.
  - aiguillage vers d'autres agences communautaires.
- Si la personne chère ne veut pas être aidée par d'autres, expliquez-lui que vous avez besoin d'aide et que vous désirez essayer ce service.
- Une aide financière pourrait être disponible de plusieurs sources (voir annexe I, p. 148). Ce pourrait être un bon moment pour vous renseigner sur ce que vous devez savoir concernant les affaires financières de la personne, comme les comptes en banque, l'hypothèque, les investissements, les cartes de crédit et le testament.

LES COMMUNICATIONS EFFICACES

LES COMMUNICATIONS AVEC LA PERSONNE CHÈRE

Communiquer signifie parler, écouter et le « don de la présence ». Ceci signifie tout simplement tenir compagnie à la personne et l'écouter d'une manière sympathique. Souvenez-vous que le toucher, la tenir dans vos bras, la caresser, lui faire un câlin sont des moyens d'exprimer votre acceptation et votre affection, ce qui peut être si important. Plus que les mots, les gestes démontrent votre amour envers la personne. Cela pourrait être l'occasion d'enrichir votre relation tant avec la personne chère qu'avec les autres membres de la famille.

Comment offrir des soins

La personne chère pourrait ressentir des émotions comme de la crainte, de l'anxiété, de la colère. Vous pouvez la soutenir par une écoute active et intéressée.

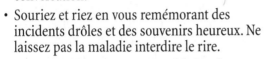

- Serrez-lui la main ou embrassez-la pour lui montrer combien vous l'aimez. Être assis en silence à côté de la personne peut offrir un soutien aussi important qu'une conversation.
- Souriez et riez en vous remémorant des incidents drôles et des souvenirs heureux. Ne laissez pas la maladie interdire le rire.
- Continuez de savourer ensemble les choses qui ont du sens pour vous comme la musique, les arts, les sports, les films ou les livres enregistrés.
- Aidez la personne que vous soignez à rester en contact avec ses amis et à effectuer des activités à l'extérieur en l'aidant à écrire des lettres, faire des appels téléphoniques et des visites.
- Laissez la personne vous parler de ses craintes et inquiétudes.
- Parlez également de vos sentiments et de vos craintes.
- Sachez que la personne chère pourrait exprimer sa colère en la faisant porter sur vous. Si cela se produit souvent ou que vous avez de la difficulté à accepter ceci, vous pourriez rechercher une aide professionnelle.
- Si la personne ne peut pas parler, demandez à un membre de l'équipe soignante des idées, comme utiliser une planchette de communication.
- Envisagez de lire des livres intéressants indiqués à la page 138 qui pourraient vous aider à converser avec la personne chère. Il existe en particulier :
  - Buckman, R. (1988). *I don't know what to say.* Toronto, ON: Key Porter Books Limited.
  - Jevne, R.F. (1994). *The voice of hope: heard across the heart of life.* San Diego, CA: LuraMedia.
  - Jevne, R.F. (1991). *It all begins with hope: patients, caregivers & the bereaved speak out.* San Diego, CA: LuraMedia.

Lignes directrices pour la conversation

- Acceptez ce que dit la personne, même si c'est différent de ce que vous pensez.
- Clarifiez tout ce qui n'est pas clair pour vous pour être sûr d'avoir bien compris ce qui a été dit et ce que cela signifie.

- Partagez vos perceptions et vos émotions.
- Commencez la phrase par « je » quand vous communiquez vos propres besoins ou sentiments. Un exemple en serait « Je veux t'aider mais il faut que tu me dises comment ».
- Soyez honnête, sans blesser la personne, quand vous offrez commentaires et observations.
- Encouragez la personne chère à partager ses pensées et ses émotions sans la pousser à le faire.
- Essayez différentes manières d'entamer la conversation. Vous pourriez commencer par une observation comme « Tu sembles plus relaxé (ou moins relaxé) aujourd'hui ». Demandez à la personne s'il y a quelque chose dont elle veut parler; c'est toujours une bonne manière d'entamer la conversation. Commencez la conversation de manière ouverte pour que la conversation et le sujet puissent se développer dans plusieurs directions différentes.
- Soyez prêt à dire que vous ne connaissez pas les réponses concernant ce qui va se passer à l'avenir.
- Sachez qu'il est courant que la personne revienne à l'utilisation de sa langue maternelle alors qu'elle approche de la mort. Si vous ne parlez pas cette langue, essayez de trouver quelqu'un qui la parle.

Lignes directrices pour l'écoute

- Faites attention à ce qui est dit, au ton de voix et au langage corporel en plus des mots eux-mêmes. Une personne développe généralement mieux ses pensées quand elle parle à haute voix. Utilisez vos techniques d'écoute après avoir commencé en disant par exemple : « Parle-moi un peu plus de... » ou « Qu'est-ce que cela signifie pour toi de...? ».
- Soyez attentif et ne laissez pas vos pensées revenir à vos propres émotions et réactions. Une bonne écoute nécessite de la concentration.
- Vérifiez que vous avez bien compris en vérifiant ce que vous venez d'entendre. Ceci aide à clarifier les choses.

- Écoutez attentivement les questions importantes que la personne voulait réellement poser. Au besoin, la question sera répétée. De nombreuses questions ne nécessitent pas une réponse mais ouvrent la discussion.
- Respectez ce dont la personne choisit de parler plutôt que de prendre l'initiative vous-même. Si vous suivez l'humeur de la personne, vous n'aurez pas de difficulté à rire ensemble en pensant aux événements absurdes de la journée ou à réfléchir sérieusement à certains des mystères de la vie.

Ce qu'il faut éviter

- Ne pas faire de promesse que vous ne pouvez pas tenir et ne pas rassurer faussement la personne chère.
- Ne pas offrir de jugement concernant ce que la personne dit ou fait. Tout le monde a le droit d'avoir une opinion et ce droit devrait être respecté.
- Il ne faut pas essayer d'éviter les sujets inconfortables en changeant la conversation ou en introduisant un autre thème. Exprimez votre inconfort et suggérez que quelqu'un d'autre que vous pourrait être mieux en mesure d'aider la personne à ce sujet.

LA COMMUNICATION AVEC LES AUTRES MEMBRES DE LA FAMILLE

Quand on soigne quelqu'un aux prises avec une maladie mortelle, il est utile de laisser ses proches vous offrir un soutien. Il est réconfortant de confier ses craintes et ses espoirs plutôt que d'essayer de les cacher.

Comment offrir un réconfort

- Évoquez des souvenirs familiaux pour passer en revue votre vie ensemble. Souvenez-vous des meilleurs moments et des pires, des points forts de la famille, des moments et des événements importants.
- Aidez la personne à écrire des lettres pour rester en contact avec d'autres membres de la famille.
- Préparez un album de vos souvenirs. À l'avenir, vous pourrez regarder ces photos et ces souvenirs.
- Parlez de vos inquiétudes et encouragez les autres à en faire de même. De nombreuses personnes qui veulent parler de leurs craintes hésitent à le faire parce qu'elles ne veulent pas bouleverser les autres membres de la famille. D'un autre côté, respectez le fait que la personne ne voudra peut-être pas parler de certains sentiments et de certaines pensées.
- Parlez de l'avenir et prenez des décisions importantes dès que possible pendant que la personne mourante peut encore être incluse au processus de prise de décisions.

• Faites face aux changements sur le plan des rôles et des responsabilités dans la famille. Demandez à la personne de vous aider à apprendre à effectuer des tâches non familières pour vous qui, auparavant, lui incombaient.

LA COMMUNICATION AVEC LES ENFANTS

Il est important de donner aux enfants des occasions de poser des questions concernant les maladies mortelles et d'exprimer leurs sentiments.

• Il ne faut pas essayer d'épargner les enfants en leur cachant que la personne chère est en train de mourir. Les enfants devinent la vérité.

• Souvenez-vous que les enfants ont la capacité incroyable de comprendre une situation. Ce sont les conversations chuchotées derrière des portes fermées qui leur font imaginer des situations pires que la réalité.

• Apprenez ce que les enfants comprennent et leurs réactions à la situation.

• Incluez les enfants aux activités avec la personne sans jamais les forcer.

• Gardez les visites courtes pour les petits enfants.

• Avertissez l'école de ce qui se passe.

• Réservez du temps pour les enfants.

• Soyez consistant dans la manière dont vous traitez les enfants.

• Certains des excellents livres disponibles pour vous aider à discuter de la mort avec vos enfants sont indiqués à la page 138.

LES COMMUNICATIONS AVEC L'ÉQUIPE DE SOINS DE SANTÉ

Vous devrez communiquer avec le médecin de la personne chère, son infirmière ou d'autres membres de l'équipe de soins de santé. Souvenez-vous que toute décision finale concernant les soins devrait revenir au mourant. Utilisez les conseils obtenus des membres de l'équipe de soins de santé comme point de départ pour entamer une discussion.

Ce que vous devrez prendre en considération

- Efforcez-vous de régler plusieurs questions lors d'un contact. Pensez à ce que vous avez besoin de savoir et qui sera la meilleure personne pour vous fournir une aide.
- Notez par écrit les questions importantes qui vous viennent à l'esprit. Aussi, notez les questions de la personne chère, même celles mentionnées lors d'une conversation normale. Quand viendra le temps de poser les questions, notez les réponses vous-même ou demandez à quelqu'un de le faire.
- Assurez-vous de bien comprendre les conseils donnés. Posez des questions avant de terminer la conversation téléphonique ou de quitter le bureau.
- Si vous n'êtes pas sûr des réponses ou si vous ne vous en souvenez pas, passez en revue par la suite les notes que vous aurez prises.
- Parlez à un membre de l'équipe de santé des nouvelles douleurs ou symptômes immédiatement, pour que l'on puisse s'en préoccuper tout de suite.
- Souvenez-vous que les membres de l'équipe de santé peuvent vous aider également sur le plan de vos besoins émotionnels et spirituels.
- Parlez au médecin des autres thérapies médicales ou de médecine douce que la personne chère pourrait utiliser. Ceci est extrêmement important, car il pourrait y avoir des effets secondaires graves.
- Une fois qu'une décision sera prise en matière de traitement, suivez les conseils donnés mais souvenez-vous que vous pouvez demander à n'importe quel moment de discuter des choix faits.

LES COMMUNICATIONS AVEC LES VISITEURS

Quand les amis et les membres de la famille savent que quelqu'un est proche de la mort, ils veulent avoir l'occasion de passer quelques moments avec la personne chère. Voici quelques lignes directrices fondamentales que vous pourrez leur fournir pour veiller à ce que la personne chère prenne plaisir à ces visites.

- Parlez à la personne des visiteurs et demandez-lui si les visites la fatiguent. Laissez ceci vous guider pour décider du nombre de visiteurs et de la durée de la visite.
- Donnez à chaque visiteur une limite de temps de visite.
- Encouragez les visiteurs à téléphoner d'abord et dites-leur si ce n'est pas un bon moment pour venir.
- Suggérez que les visiteurs restent assis tranquillement ou parlent de manière à ne pas nécessiter une réponse si cela cause un essoufflement.
- Demandez-leur de venir moins souvent s'il y a des périodes où la personne semble se fatiguer plus facilement.

- Demandez aux visiteurs de ne pas venir s'ils ont le rhume ou la grippe.
- Vous pourriez placer une pancarte à la porte d'entrée indiquant quand les visiteurs ne sont pas les bienvenus.
- Envisagez d'avoir un livre des visiteurs que vous pourriez conserver pour vous souvenir de toutes les personnes qui vous ont soutenus, vous et la personne chère, en venant faire une visite.

Pendant ce moment, la famille et les amis pourraient ne pas être sûrs de ce qu'il faut faire.

- Les amis se demandent s'ils devraient venir et combien de temps faire durer leur visite.
- Ils ne sont pas sûrs de quoi parler et se demandent s'il faut ou non mentionner la possibilité de la mort.
- Ils ne sont pas sûrs s'ils doivent se rapprocher ou s'éloigner de la personne chère.
- Ils se demandent si et quand dire au revoir.

Il n'y a pas de bonnes et de mauvaises réponses. Souvenez-vous que chaque situation est différente. Parfois, il peut être utile de se baser sur ce que dit le mourant. Il vaut mieux faire ce qui, selon vous, est préférable, au cas où la mort se produirait plus tôt que prévu. En tant qu'aidant naturel, vous ne pouvez que guider les visiteurs selon ce qui vous semble convenir à ce moment-là.

LES BESOINS SPIRITUELS

Pour certaines personnes, la spiritualité signifie la manière dont elles s'envisagent dans leurs relations avec les autres, avec la Terre et avec l'univers. Pour d'autres, le pouvoir spirituel est au cœur de ces relations. Le pouvoir spirituel pourrait être Dieu, Allah, Bouddha, les dieux hindous ou l'un des nombreux êtres suprêmes révérés. Les personnes qui adoptent ce type de spiritualité le font souvent dans le cadre d'une religion officielle. Même dans le cadre d'une religion spécifique, certaines personnes prient de manières différentes et ont des manières variées d'entrer en relation avec ce pouvoir spirituel. Pour ces raisons, les besoins spirituels d'une personne mourante peuvent être parfois évidents et parfois beaucoup moins évidents. Quel que soit le système de croyances de la personne, on note souvent un besoin spirituel commun, celui de rechercher une signification à la vie et un objectif.

Ce que vous devez comprendre

Certaines personnes comprennent leur souffrance ou recherchent une signification à cette souffrance dans le contexte de leur système de croyances religieuses. D'autres recherchent un sens ailleurs.

- La personne chère pourrait avoir perdu contact avec sa religion mais vouloir y retourner.
- Peut-être que la personne désire rétablir des liens abandonnés avec l'être suprême.
- Pour certains, il y a désir d'établir un lien avec une puissance spirituelle inconnue précédemment.
- La personne pourrait exprimer sa culpabilité, son remord et son désir de demander pardon dans le cadre de sa recherche d'une paix intérieure, d'une paix avec les autres ou avec la puissance spirituelle.
- La personne chère pourrait se demander « Pourquoi », poser la question au pouvoir spirituel ou à l'univers tout entier. La question pourrait ne pas être posée à haute voix, mais suggérée par ce que dit la personne chère.
- Si la prière a été une partie importante de la vie de la personne chère, ce besoin de prier pourrait changer. La personne pourrait ne plus être réconfortée par un lien étroit avec une puissance spirituelle.
- Pour une personne ayant des croyances religieuses, il pourrait y avoir une anxiété spirituelle profonde, soit exprimée soit non exprimée, concernant l'absence perçue de la puissance spirituelle. Ces sentiments ne sont pas un déni des croyances mais une tentative de comprendre pourquoi la souffrance est permise.

- La personne pourrait commencer à jeter un regard en arrière sur sa vie et envisager l'avenir inconnu. Elle pourrait espérer un miracle ou l'immortalité, penser à la vie après la mort ou à laisser un héritage personnel.

Comment réconforter la personne

Vous pouvez lui offrir un réconfort en l'écoutant et en l'aidant à faire face aux nombreuses émotions qui accompagnent une maladie terminale.

- Aidez la personne chère qui a besoin de prier à se souvenir que même si la prière ne lui vient pas aisément, d'autres personnes prient pour elle.
- Mentionnez la maladie aux personnes formant le réseau de soutien spirituel du mourant et demandez-leur d'être disponibles pour un accompagnement spirituel.

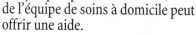

- Ne vous sentez pas obligé d'offrir vos propres réponses aux questions que se pose la personne concernant une puissance spirituelle.
- Demandez à la personne s'il serait utile pour elle de parler à quelqu'un de questions spirituelles même si ce type de contact n'a pas été important pour elle jusqu'à présent. Souvent, l'aumônier de l'équipe de soins à domicile peut offrir une aide.
- Rassurez la personne en lui disant que les sentiments de doute ou de culpabilité sont normaux en ce moment.

- Acceptez le besoin de la personne de parler de la mort ou de dire adieu.
- Assurez-vous que vous pouvez avoir recours à vos propres ressources spirituelles pour vous aider.

L'ADAPTATION DE LA MAISON

Ce qu'il faudra envisager

Quand on soigne quelqu'un à la maison, il faut penser au lieu où la plupart des soins seront fournis. L'infirmière de soins à domicile ou l'ergothérapeute pourra vous faire des recommandations sur l'adaptation nécessaire à votre maison, en se posant les questions suivantes :

- La personne passera-t-elle la plupart du temps au lit?
- Sera-t-il préférable de rester dans la chambre ou d'être plus près des activités familiales?
- Est-il nécessaire qu'une salle de bain soit à proximité?
- La personne peut-elle monter les escaliers?

Comment vous pouvez offrir réconfort et soins

Vous devriez être capable d'adapter votre maison, sans trop de dérangement, en modifiant simplement quelques arrangements à la vie familiale.

- Évitez d'avoir des carpettes qui peuvent entraîner des chutes.
- Créez un endroit, près d'une fenêtre si possible, où la personne pourra être entourée de ses photos favorites, de sa musique et de ses animaux domestiques.
- Gardez les objets suivants à portée de la main d'un lit confortable. Il s'agit des suivants :
  - une petite table de la hauteur du lit pour les médicaments, les collations, la radio, le papier et le crayon.
  - un fauteuil confortable, à proximité, d'une hauteur suffisante pour que la personne puisse s'y asseoir et s'en lever.
  - un tabouret pour aider la personne à entrer et sortir d'un lit élevé
  - une petite cloche, un « moniteur pour bébé » ou une sonnette pour pouvoir appeler à l'aide.

• Renseignez-vous auprès de l'infirmière de soins à domicile ou de l'ergothérapeute concernant les aides et l'équipement qui facilitent les soins à la maison. Vous pourrez louer la plupart d'entre eux. Voici quelques exemples d'aides et d'équipement pour les soins à domicile :

- un lit d'hôpital
- des ridelles de lit (de hauteur complète ou à demi-hauteur)
- des draps de caoutchouc
- une table de lit
- une peau de mouton (naturelle ou synthétique)
- un lit à pression alternative
- une bassine de lit ou urinal
- une bouillotte

- une commode
- un siège de toilette surélevé et repose-bras pour la toilette
- un plateau pour se laver la tête
- un matelas ou coussin de soutien (comme Spenco^MC)
- un déambulateur
- un fauteuil roulant
- une canne ou des béquilles
- un coussin de mousse
- un repose-dos

- un traversin ou une cale
- un appuie-main pour la baignoire
- une planchette de baignoire
- un soulève-personne pour la baignoire
- une chaise de bain
- une barre verticale du plancher au plafond
- une courroie de transfert
- une potence

La prestation des soins physiques

PRÉVENTION DES INFECTIONS (Précautions universelles)

La raison pour laquelle on doit procéder à une prévention des infections, c'est que toute personne peut être porteuse d'un certain nombre de bactéries (microbes). Les précautions s'appliquent donc à tout le monde. Les précautions universelles vous protègent, vous et la personne chère, de l'infection. L'équipement dont vous aurez besoin, comme gants, tabliers et masques, peut être acheté à la pharmacie ou dans un magasin vendant des fournitures de santé. Le coût de cet équipement pourrait être couvert par certains programmes. Votre infirmière de soins à domicile pourra vous donner des conseils sur cette question et concernant le besoin de prendre des précautions, comme mettre des gants ou un tablier.

Le lavage des mains

Se laver les mains, c'est la manière la plus efficace de prévenir les infections. Lavez-vous les mains à l'eau savonneuse tiède avant et après tout contact avec la personne que vous soignez. Évitez que la peau de vos mains ne s'assèche en utilisant une lotion pour les mains et gardez vos ongles bien courts pour qu'il soit plus facile de vous nettoyer les mains.

Mise au rebut

Tous les pansements sales ou autres utilisés, les produits jetables imprégnés de sang ou de liquides corporels doivent être placés dans deux sacs en plastique pour être mis au rebut. Ceci doit être fait pour empêcher les bactéries contenues dans les sacs de propager l'infection.

Les gants

Vous devrez porter des gants jetables en latex ou vinyle pour manipuler des objets contaminés par du sang ou des liquides corporels. Il ne faut jamais réutiliser les gants jetables et il faut les mettre au rebut dans deux sacs en plastique.

Les tabliers

Portez un tablier jetable en plastique si vous risquez de salir vos vêtements pendant que vous fournissez des soins. Placez le tablier dans la poubelle, enveloppé de deux sacs en plastique, quand vous l'enlèverez.

Les masques

Portez un masque si vous avez le rhume. Vous pouvez vous protéger à l'aide d'un masque quand la personne que vous soignez tousse beaucoup. Demandez à l'infirmière de soins à domicile comment utiliser efficacement le masque.

Les aiguilles et les seringues

Placez les aiguilles et seringues utilisées dans un contenant solide en plastique ou en métal muni d'un couvercle. Placez le couvercle sur le contenant quand il sera plein et gardez-le fermé à l'aide de ruban adhésif pour que les aiguilles ne puissent pas s'en échapper et piquer quelqu'un. La méthode de mise au rebut varie d'une province à l'autre. Demandez donc à votre infirmière de soins à domicile comment on le fait dans votre collectivité.

La préparation des aliments

Les aliments crus sont une source importante de microbes. Les viandes et les œufs doivent être cuits suffisamment. Les fruits et légumes devraient toujours être lavés avant d'être cuisinés ou mangés. Lavez les plats, les verres et les ustensiles dans de l'eau savonneuse chaude. Si vous utilisez une planchette pour couper la viande crue, assurez-vous de bien la laver à l'eau chaude avant de l'utiliser de nouveau.

Les animaux domestiques

Comme les animaux peuvent propager les maladies, il est important de veiller à ce que les animaux domestique de la famille soient en bonne santé et aient bien été vaccinés. Ils doivent aussi subir des visites de santé régulières. Assurez-vous de bien vous laver les mains après avoir nettoyé la litière du chat ou la cage de l'oiseau.

LE BAIN

Le bain est une partie importante des soins personnels et offre à la personne un réconfort tant physique qu'émotionnel.

Comment vous pouvez offrir des soins

Toute personne qui a assez de force pour se déplacer devrait recevoir de l'aide pour prendre sa douche, son bain ou se laver à l'évier.

- Placez une chaise de baignoire ou un petit tapis antidérapant dans la baignoire ou sous la douche si entrer et sortir de la douche et rester debout pendant une période prolongée est difficile pour la personne. Vous pourriez aussi utiliser une chaise devant l'évier si cela semble donner de bons résultats.
- Demandez à votre infirmière de soins à domicile ou votre ergothérapeute des idées pour rendre la salle de bain plus sécuritaire et plus facile d'utilisation pour la personne. Il pourrait être utile d'installer de l'équipement comme des barres d'appuie-main, des surfaces antidérapantes et des soulève-personnes pour la baignoire.
- Collectez toutes les choses dont vous aurez besoin avant d'aider la personne dans la salle de bain :
  - vêtements ou pyjama propre
  - shampooing et savon
  - débarbouillettes
  - serviettes
  - lotion
- Vérifiez la température de l'eau, du bain ou de la douche.
- Aidez la personne à entrer dans la baignoire ou à aller sous la douche.
- Laissez la personne se laver dans la mesure du possible. Vous pourriez avoir besoin de l'aider pour se laver le dos, les jambes et les parties génitales.
- Offrez une aide pour sortir du bain ou de la douche et aider la personne à se sécher. Une serviette placée dans la sécheuse quelques minutes avant l'utilisation peut être plus confortable.
- Aidez la personne à mettre ses vêtements propres.

LE BAIN DE LIT

Toute personne devant rester au lit bénéficiera d'un bain de lit quotidien. En plus de garder la personne propre, cela aidera à la rafraîchir et vous donnera la chance de lui parler et de l'écouter.

Comment vous pouvez offrir des soins

Bien qu'un bain de lit puisse être donné à n'importe quel moment, les personnes qui sont malades ont souvent davantage d'énergie le matin. Demandez à la personne quel moment de la journée lui convient le mieux.

- Garantissez son intimité.
- Rassemblez ce dont vous aurez besoin :
  - un grand bol avec de l'eau tiède
  - du savon
  - des débarbouillettes et des serviettes
  - un drap ou une couverture légère
  - de la lotion

POINTS IMPORTANTS

- Si le mouvement cause de la douleur, donnez un médicament contre la douleur environ 30 minutes avant le bain.
- Évitez la poudre car elle pourrait s'accumuler dans les replis du corps.
- Une aide de soins à domicile pourrait être disponible pour la toilette.

- Élevez le niveau du lit si c'est possible pour éviter de vous faire mal au dos.
- Recouvrez la personne d'un drap pour qu'elle n'ait pas froid et ne la découvrez que pour laver une partie du corps à la fois.
- Utilisez un savon doux sur la peau puis rincez et séchez.
- Commencez par le visage et lavez graduellement chaque partie du corps pour terminer par les pieds.
- Appliquez une lotion au besoin après avoir séché une région.
- Lavez l'avant et les côtés d'abord, puis aidez la personne à se coucher sur le côté pendant que vous lui lavez le dos.
- Lavez les parties génitales et anales en dernier. Il est important de bien nettoyer ces régions au moins chaque jour, car les bactéries tendent à s'y accumuler. Lavez entre les jambes de la personne en allant de l'avant vers l'arrière. Rincez bien.
- Appliquez une crème imperméable à l'eau (comme Penaten Cream^MC, Zincofax^MC, A&D Cream^MC) à la partie génitale si l'incontinence est un problème.
- Changez l'eau aussi souvent que nécessaire pour qu'elle reste propre et chaude.
- Lavez le visage de la personne, ses mains, son dos, ses aisselles et ses parties génitales chaque jour si un bain complet est trop fatigant.
- Appliquer une lotion à toutes les régions de pression. Aussi, quand vous utilisez une lotion, la personne pourrait apprécier un massage complet du dos (attention aux zones de pression, p. 38).

- Changez les draps salis ou mouillés une fois que le bain de lit est terminé (voir comment faire le lit quand quelqu'un s'y trouve, p. 42).
- Souvenez-vous que raser la personne, la maquiller, la brosser et la coiffer sont des aspects importants des soins et aideront la personne à se sentir plus confortable. Souvent, une période de repos avant et après ces activités aidera à empêcher la personne de se sentir trop fatiguée.

SOIN DE LA BOUCHE

Nettoyer la bouche de la personne n'est pas difficile. En gardant propre la bouche de la personne chère, vous augmenterez son confort, préviendrez les plaies de bouche et peut-être que vous améliorerez son appétit.

Comment vous pouvez offrir des soins

Brossage des dents

- Aidez la personne à s'asseoir. Si c'est plus confortable, ou si la personne ne peut pas s'asseoir, aidez-la à soulever la tête.
- Placez une serviette sèche sous le menton.
- Donnez à la personne une gorgée d'eau pour humecter l'intérieur de la bouche.
- Utilisez une brosse ultradouce et amollissez les poils de la brosse dans de l'eau chaude.
- Ne pas utiliser de dentifrice car cela pourrait être irritant pour des gencives fragiles. Humectez la brosse de l'une des solutions de rinçage suggérées plus loin dans cette section sous Rinçage
- Brossez les dents délicatement en commençant aux gencives et en allant vers le rebord des dents.
- Brossez délicatement l'intérieur des joues, les gencives et la langue.
- Il ne faut pas placer la brosse à dent trop loin dans la gorge car cela pourrait causer un réflexe d'étouffement.
- Efforcez-vous de retirer toutes les particules de nourriture et le matériel formant croûte.
- Demandez à la personne de se rincer la bouche à l'eau fraîche et de cracher dans un bol.
- Si la personne est inconsciente, utilisez une brosse à dents douce humectée d'une solution de rinçage ou un écouvillon avec tête en éponge (voir avertissement sous Points importants). Frottez délicatement les dents, les gencives et la langue.

Soin des dentiers

- Si la personne a des dentiers, enlevez-les et nettoyez-les avec une brosse à dents.
- Il ne faut pas utiliser de l'eau très chaude car les dentiers pourraient changer de forme.
- Il ne faut pas laisser les dentiers dans de l'eau de javel car ceci pourrait les endommager. Tout produit disponible dans le commerce fabriqué spécialement pour les dentiers peut être utilisé.
- Si les gencives sont sèches sous les dentiers, un produit comme Oral Balance^MC pourrait fournir un soulagement.
- Si le dentier est mal ajusté, cela pourrait causer des plaies à la bouche. Il faudra les faire appareiller de nouveau par un denturologue ou, si ceci n'est pas possible, les laisser hors de la bouche sauf quand la personne mange.

Soin des lèvres

- Appliquez un lubrifiant soluble à l'eau comme K-Y Jelly^MC, Muco^MC ou Dermabase^MC sur les lèvres.
- Évitez les produits à base d'huile comme Vaseline^MC, Chapstick^MC et huile minérale. Ces produits pourraient enflammer les plaies ouvertes sur les lèvres. Si la personne est inconsciente, un produit à base d'huile pourrait être aspiré dans les poumons et causer une pneumonie.

Rinçage

- Rincer la bouche n'est pas une option de rechange au brossage.
- Si la personne n'est pas capable de sortir du lit, il faudra lui rincer la bouche toutes les deux heures en même temps que vous lui nettoierez la peau. Pour une personne inconsciente, essuyez la bouche avec de la gaze imprégnée d'une solution de rinçage ou avec un écouvillon muni d'une tête en éponge.
- Utilisez une solution de rinçage ne contenant pas d'alcool. Les suggestions incluent les suivantes :
  - bicarbonate de soude (1 cuillerée à thé) et de l'eau (2 tasses)
  - du sel (1/2 cuillerée à thé), du bicarbonate de soude (1 cuillerée à thé) et de l'eau (4 tasses)
  - du club soda
- Évitez les solutions de rinçage en vente libre contenant de l'alcool. L'alcool pourrait assécher l'intérieur de la bouche et augmenter le risque d'infection.

POINTS IMPORTANTS

- Comme de nombreuses bactéries se trouvent dans la bouche, lavez-vous bien les mains avant et après le nettoyage de la bouche de la personne.
- Bien que les écouvillons à tête en éponge soient une manière pratique de nettoyer la bouche de la personne, ils pourraient se briser lorsqu'ils sont placés dans la bouche. Utilisez-les avec beaucoup de précaution.
- Il ne faut pas nettoyer la bouche de la personne qui est allongée à plat sur le dos car elle pourrait s'étouffer. Si la personne n'est pas capable de soulever la tête, aidez-la à s'allonger sur le côté et essuyez toute humidité restant dans la bouche avec de la gaze, un chiffon propre ou un écouvillon à tête en éponge.
- Si la personne mord la brosse à dents ou l'écouvillon, ne le lâchez pas et n'essayez pas non plus de le retirer par la force. La mâchoire se relâchera éventuellement et vous pourrez alors enlever la brosse à dent.
- Vérifiez chaque jour la bouche de la personne pour déceler tout signe de plaies ou d'autres problèmes (voir Problèmes reliés à la bouche, p. 80).
- Ne placez pas vos doigts dans la bouche d'une personne qui est confuse ou somnolente. Vous risquez que l'on vous morde.
- Le soin de la bouche devrait être effectué au moins deux fois par jour.

COMMENT POSITIONNER QUELQU'UN AU LIT

Si la personne est totalement incapable de quitter son lit, si elle est trop faible pour bouger, est paralysée ou inconsciente, changer sa position au lit deviendra l'une de vos tâches les plus importantes. De longues périodes sans bouger peuvent provoquer des plaies de lit, ce qui est un problème grave. Aussi, changer de position aide à garder les poumons de la personne libres de mucosités et peut aider à soulager la douleur.

Comment vous pouvez offrir des soins

Souvent, quand une personne trouve une position confortable, elle est très tentée de rester sans bouger. Vous devrez peut-être insister en aidant la personne chère à changer de position au lit.

- Abaissez la tête du lit si c'est possible.
- Ouvrez les couvertures et enlevez les oreillers de trop.

- Déplacez la personne vers vous, vers le côté du lit, pour qu'après avoir été retournée, la personne se trouve au centre du lit. (Voir figure 1)
- Utilisez un drap pour y rouler la personne (Comment aider quelqu'un à rouler dans le lit, p. 40.)
- Si vous n'avez pas de drap supplémentaire :

figure 1

  - placez-vous debout du côté opposé du lit de celui où la personne est couchée
  - placez le bras de l'autre côté de la personne, sur sa poitrine, vers vous (voir figure 2).
  - repliez la jambe de l'autre côté au genou et fléchissez cette jambe vers vous. Quand vous ferez ceci, l'épaule de l'autre côté commencera naturellement à se déplacer dans votre direction. Placez la main derrière l'épaule de la personne et roulez son corps vers vous. En faisant ceci, il ne faut pas tirer sur le bras de la personne (voir figure 3).

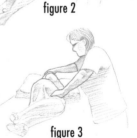

figure 2

  - placez les genoux et les chevilles de la personne ensemble, en position fléchie.
- Placez une alaise ou un oreiller sous les genoux et le mollet.
- Placez un oreiller verticalement contre le dos de la personne et calez-le bien en en poussant le rebord sous le dos de la personne. Repliez le côté externe de l'oreiller sous la personne en le coinçant bien contre la personne pour bien la soutenir.

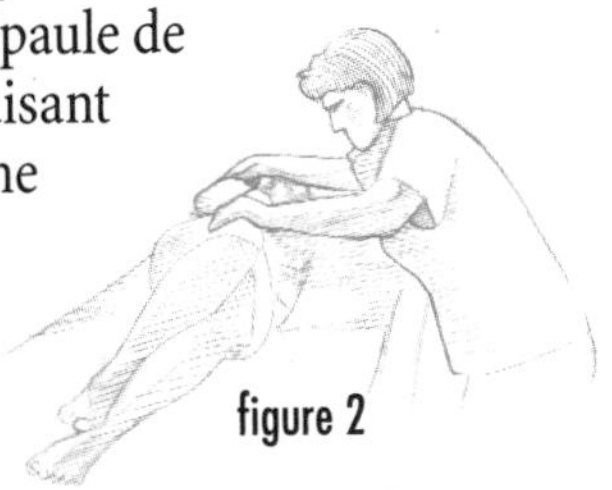

figure 3

- Placez un oreiller en longueur sous la cuisse de la personne, en amenant la jambe vers l'avant pour qu'elle ne repose pas sur la jambe inférieure. Positionnez la jambe confortablement.
- Placez un autre oreiller en longueur sous la jambe inférieure de la personne pour empêcher que les jambes frottent l'une contre l'autre et pour fournir un bon soutien. L'oreiller devrait bien dépasser le pied pour que la cheville et le pied soient au même niveau.
- Assurez-vous que le bras inférieur est dans une position confortable. Le bras et la main supérieurs pourraient être plus à l'aise si on les place sur un oreiller.

figure 4

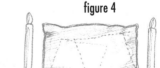

- Quand vous placez quelqu'un sur le dos :
  - placez deux oreillers en longueur à un angle de 45 degrés. Ils devraient dépasser les épaules de la personne.

- placez un oreiller au-dessus du haut des deux oreillers en longueur, sous la tête, et atteignant les épaules (voir figure 4).

- Une barre au-dessus du lit, appelée trapèze ou potence, est un dispositif qui peut être utile quand on déplace la personne au lit si elle a de la force dans la partie supérieure du corps. Renseignez-vous auprès de votre infirmière en soins à domicile ou de votre ergothérapeute.

ATTENTION AUX ZONES DE PRESSION

La dégradation de la peau ou les plaies de lit peuvent être une source importante d'inconfort pour la personne chère. La prévention des plaies est une partie très importante des soins physiques.

- Les plaies de lit se produisent généralement sur les régions osseuses (voir figure 5).

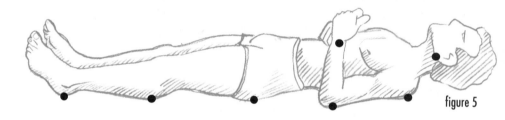

figure 5

- Un massage du dos améliore la circulation sanguine aux régions osseuses et peut également relaxer la personne.

- Encouragez la personne capable de se déplacer sans aide à changer de position au lit ou dans son fauteuil au moins toutes les deux heures.

- Aidez la personne qui ne peut pas se déplacer seule à se retourner toutes les deux heures pendant la journée et toutes les quatre heures la nuit.

- Renseignez-vous auprès de votre infirmière en soins à domicile concernant l'utilisation d'un matelas ou de coussins pour prévenir la pression.

- Vérifiez la peau de la personne pour y déceler toute région rouge. Ceci pourrait donner lieu à des plaies de lit.

- Massez le dos et les régions de pression avec une lotion chaque fois que vous retournez la personne. Faites une pression douce et déplacez vos mains en faisant un geste circulaire.

- Faites ceci plusieurs fois, en utilisant beaucoup de lotion pour que le mouvement soit doux.

- Protégez les régions rougies avec des oreillers, une peau de mouton, des protecteurs pour les coudes et les talons. Renseignez-vous auprès de votre infirmière de soins à domicile concernant d'autres dispositifs protecteurs, comme des matelas spéciaux.

- Utilisez des oreillers pour soutenir la personne allongée sur le côté. Les oreillers peuvent être graduellement retirés pour que, deux heures après, la personne soit sur le dos.
- Gardez la peau propre et sèche.
- Gardez les draps secs et sans plis.

AIDER QUELQU'UN À GLISSER DANS LE LIT POUR SE REDRESSER

Alors que la personne devient plus faible, il pourrait être nécessaire de lui fournir de l'aide pour de déplacer dans le lit.

Comment vous pouvez offrir des soins

La personne qui est allongée pendant de longues périodes pourrait avoir besoin d'aide pour trouver une position confortable, généralement plus haut dans le lit.

POINTS IMPORTANTS

- Donnez le médicament pour la douleur toutes les 30 minutes avant de retourner la personne si le mouvement lui provoque de la douleur.
- Ne frottez pas les régions douloureuses qui restent rouges une fois que vous avez changé la position de la personne. Parlez-en à votre infirmière de soins à domicile.
- Quand vous aidez une personne à se déplacer, ne tirez pas. Tirer la personne cause une friction qui peut provoquer un déchirement de la peau.
- Même si la personne présente un inconfort quand on la retourne, il est important de continuer cette routine.

- Veillez à ce que les freins soient mis si le lit a des roulettes et abaissez la tête de lit.
- Élevez le lit à environ le niveau de votre taille. Si le lit ne peut pas être surélevé, souvenez-vous d'utiliser vos genoux et non votre dos quand vous soulevez la personne.
- Abaissez les ridelles de lit de votre côté si le lit a des ridelles.
- Vérifiez que les tubes ou les sacs d'urine ne seront pas déconnectés quand vous déplacerez la personne.
- Enlevez les oreillers excédentaires et placez un oreiller contre le grand dossier du lit.
- Faites face à la direction du déplacement. Vos pieds devraient être bien écartés, les orteils dans la direction du déplacement. Vous pouvez aussi placer un genou sur le lit pour vous rapprocher de la personne (voir figure 6).

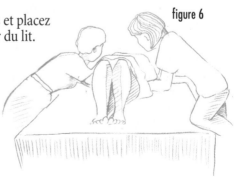
figure 6

- Fléchissez les genoux de la personne.
- Placez une main sous le dos de la personne et l'autre sous ses cuisses.
- Comptez jusqu'à trois et faites un effort ensemble - la personne pousse vers le haut et vous la soulevez vers la tête de lit.
- Il ne faut pas tirer sur les bras de la personne pendant que vous l'aidez à se positionner.

Comment déplacer la personne avec une couverture tournante

- Pliez un drap supplémentaire deux fois, pour l'utiliser comme couverture tournante. Placez le drap sous la personne pour qu'il aille de la mi-cuisse jusqu'à l'épaule.
- Fléchissez les genoux de la personne.
- Placez-vous près du lit, près de la tête de la personne en faisant face aux pieds.
- Empoignez la couverture tournante d'une main, de chaque côté des épaules de la personne.
- Comptez jusqu'à trois et faites un effort ensemble - la personne pousse vers le haut et vous la soulevez vers la tête de lit.

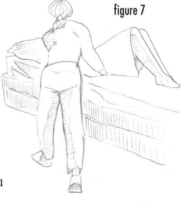

figure 7

Comment déplacer la personne à deux

- Les deux aidants font face à la direction du déplacement, un de chaque côté du lit (voir figure 7).
- Fléchissez les genoux de la personne.
- Les deux aidants placent les mains sous les épaules et la taille de la personne.
- Comptez jusqu'à trois et faites un effort ensemble - la personne alitée pousse vers le haut et les deux autres la tirent vers la tête de lit.
- Si une couverture tournante est utilisée, empoignez-la de chaque côté, près des épaules et des hanches de la personne. Après avoir compté jusqu'à trois, la personne pousse vers le haut et les aidants la tirent vers la tête de lit (voir figure 8).

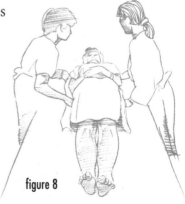

figure 8

COMMENT FAIRE LE LIT

Pour la personne malade, le lit est souvent un refuge et une source de réconfort. Si la personne chère est confinée au lit, sa chambre est le centre d'activité et devra être gardée rangée et reposante.

Comment vous pouvez offrir confort et soins

Il est important que le lit et le voisinage du lit soient gardés propres, afin de protéger la personne chère de problèmes comme les infections. Changez les draps au moins une fois par semaine et chaque fois qu'ils sont souillés.

- Commencez par demander à la personne si c'est un bon moment pour changer les draps. Attendez un autre moment si la personne semble être trop fatiguée.
- Au besoin, donnez un médicament contre la douleur puis attendez environ 30 minutes avant de commencer.
- Collectez les draps et couvertures propres et apportez-les près du lit. Placez-les sur une chaise à proximité.
- Ayez un panier à linge sale près de vous pour que pouvoir placer draps et couvertures sales directement dans le panier.
- Demandez à la personne s'il est possible pour elle de s'asseoir quelques moments sur une chaise pendant que vous changez les draps et couvertures (voir Comment déplacer quelqu'un du lit à une chaise, p. 45).
- Soulevez le lit au niveau de votre taille si c'est possible. Abaissez la tête de lit pour que le lit soit horizontal.
- Enlevez les draps et couvertures sales et placez-les dans le panier à linge sale. Vérifiez que le matelas est propre et sec.
- Placez une feuille de plastique sur la partie du milieu du matelas pour le protéger de l'humidité si la personne a la diarrhée ou est incontinente. Un sac à ordures ouvert ou un coussinet pour incontinence (côté plastique vers le lit) pourrait être placé sous le drap du dessous. Votre pharmacien pourra vous parler d'autres produits disponibles dans votre province.
- Veillez à ce que les draps soient plats et sans plis pour aider à prévenir la dégradation de la peau.
- Envisagez de placer une couverture tournante sous le drap du dessous. Ceci peut le protéger et vous éviter d'avoir à changer le lit tout entier la prochaine fois. Un drap de flanelle ou une couverture fine pliée en deux pourra être utilisé comme couverture tournante.
- Placez le drap du dessus propre et la couverture sur le lit. Quand vous bordez la couche supérieure de la literie, laissez un peu d'espace au pied du lit pour que les couvertures ne fassent pas pression sur les pieds de la personne. Si vous utilisez un arceau pour les pieds, placez-le avant d'installer les couvertures.

- Remplacez les taies d'oreiller chaque jour ou quand elles sont sales, en rentrant les extrémités à l'intérieur.
- Si vous utilisez des coussinets pour incontinence, placez-en un propre sur le drap du dessous, où les fesses de la personne seront situées.
- Abaissez le lit d'hôpital à une hauteur moyenne quand vous aurez fini.
- Aidez la personne à retourner au lit.
- Enlevez les ordures, comme mouchoirs sales.

COMMENT FAIRE LE LIT QUAND LA PERSONNE S'Y TROUVE

Quand la personne ne peut pas sortir du lit, il est plus facile de changer les draps à deux.

- Rassemblez la literie et le panier à linge sale. Si vous utilisez un lit d'hôpital, élevez le lit à la hauteur de votre taille et abaissez la tête pour que le lit soit horizontal.
- Enlevez le drap du dessus, la couverture et tous les oreillers, sauf celui qui reste sous la tête de la personne. Recouvrez la personne d'un drap pour qu'elle n'ait pas froid et pour assurer son intimité.
- Désserez le drap du dessous tout autour du lit.
- Aidez la personne à se retourner sur le côté tout en lui soutenant la taille et les épaules. Veillez à ce que la tête soit appuyée sur l'oreiller et que ses membres soient soutenus (voir Comment positionner une personne au lit, p. 36).

- Si vous faites le lit à deux, un aidant soutient la personne pendant que l'autre déroule chaque couche des draps du dessous vers le centre du lit, près du dos de la personne. Si la personne est incontinente, saisissez cette occasion de la laver, puis recouvrez d'une serviette les draps sales.

figure 9

- Si vous êtes seul, placez une chaise du côté opposé du lit pour que la personne puisse s'y appuyer. Si vous avez un lit d'hôpital, élevez la ridelle et demandez à la personne de s'y cramponner.
- Placez le drap du dessous propre, roulé en longueur, contre le drap sale roulé. Enlevez tous les plis de la moitié déroulée du drap propre et bordez-le. Répétez ce processus avec chaque couche de la literie du dessous (matelas ou mousse, feuille de plastique, drap du dessous, couverture tournante, coussinet d'incontinence). Ceci formera une petite bosse (voir figure 9).

- Déplacez l'oreiller vers l'autre côté du lit et aidez la personne à se retourner au-dessus de la bosse formée par la literie vers l'autre côté. N'oubliez pas de l'avertir concernant la bosse.

- Si vous êtes à deux, l'autre aidant tire sur la literie sale et la place dans le panier. Terminez de laver la personne puis changer le pyjama. Tirez sur toutes les couches de literie propre. Tirez fort pour que les couches du dessous soient lisses et sans plis, puis bordez les draps.

- Si vous êtes seul, placez une autre chaise pour que la personne puisse s'y cramponner ou élevez la ridelle du lit du côté opposé du lit. Aidez la personne à rouler au-dessus de la bosse. Placez-vous de l'autre côté du lit et faites ce que la deuxième personne aurait fait.

- Aidez la personne à se placer en position confortable. Replacez les taies d'oreiller et terminez de faire le lit en y plaçant le drap du dessus et les couvertures.

- Replacez le panier de linge sale et les meubles à leur place régulière. Lavez-vous les mains.

COMMENT AIDER LA PERSONNE À SE DÉPLACER

LA MÉCANIQUE CORPORELLE (COMMENT UTILISER CORRECTEMENT VOTRE CORPS)

La mécanique corporelle réfère à la manière dont on utilise le corps quand on fait des mouvements. Il est particulièrement important de respecter la mécanique corporelle quand vous faites quelque chose qui pourrait blesser vos articulations. Faites attention à cette mécanique corporelle quand vous soulevez un poids lourd ou quand vous vous penchez, pour prévenir les blessures. Un membre de votre équipe de soins de santé pourra vous enseigner comment faire ces mouvements en toute sécurité.

Ce qu'il faut savoir

L'aspect le plus important de la mécanique corporelle, c'est être conscient de la capacité de son corps. Connaissez vos limites. Il y a trois termes que vous devrez comprendre.

- Votre centre de gravité est situé au milieu du corps, vers les hanches.
- La ligne d'équilibre est une ligne imaginaire, des pieds à la tête, qui divise le corps en deux parties égales.

- La base du soutien c'est l'espace entre les pieds permettant de soutenir le poids du corps (voir figure 10).

- Quand on déplace ou quand on soulève un objet lourd, il faut réduire le travail du dos en gardant la ligne d'équilibre près du centre de gravité. Fléchissez les genoux plutôt que de pencher le dos pour vous empêcher de trop vous pencher vers l'avant ou vers l'arrière.

- Ouvrez la distance entre vos pieds pour élargir votre base de soutien. Ceci distribue le poids supplémentaire que vous soulevez ou que vous supportez, et diminue l'effort effectué par les muscles du dos.

- Rapprochez-vous de l'objet que vous déplacez. Veillez à ce que votre centre de gravité soit aussi près de l'objet que possible.

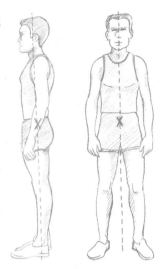

figure 10

- Utilisez vos muscles des bras et des jambes et non de votre dos pour effectuer le travail. Quand vous utilisez les bras, gardez le poids près de votre corps. Sachez aussi que vous avez davantage de force pour soulever quand vous poussez plutôt que quand vous tirez.

- Regardez où vous êtes et vous voulez aller. Pensez au mouvement avant de l'effectuer.

POUR SOULEVER UNE PERSONNE

Quand vous soulevez une personne, observer quelques techniques de base vous aidera à prévenir les blessures.

- Veillez à ce que les obstacles soient déplacés.

- Parlez de chaque étape du processus du soulèvement pour que toutes les personnes y participant comprennent la direction et l'objectif du mouvement.

- Comptez jusqu'à trois avant de commencer pour que tout le monde fasse l'effort en même temps.

- Prenez une grande inspiration avant de commencer et respirez régulièrement tout en soulevant la personne.

- Tournez avec les pieds, pivotez ou faites un pas pour éviter de tourner le corps.

- Faites toujours le moins de travail possible pour effectuer votre mouvement. Demandez à la personne alitée d'aider autant que possible. Demandez à votre infirmière de soins à domicile des conseils concernant l'utilisation de la courroie de transfert.

POINTS IMPORTANTS

- Ne tentez pas de soulever une personne si vous pensez que vous n'allez pas y arriver seul. Deux aidants sont presque toujours plus efficaces qu'un seul.
- Si votre dos est faible ou est douloureux, ne tentez pas de soulever ou de déplacer quelqu'un.
- Si vous vous faites mal, allez voir tout de suite le médecin.
- Si la personne commence à tomber, il ne faut pas résister à la chute. Tombez tous deux en douceur et protégez-vous, vous et la personne, des blessures. Veillez à protéger la tête de la personne, pour qu'elle ne heurte pas le plancher.
- Une fois que vous aurez atteint le plancher, prenez quelques secondes pour vous calmer et vérifiez que la personne n'est pas blessée.
- Pour se relever après une chute, commencez par placer la personne dans un fauteuil, puis déplacez-la du fauteuil au lit. Demandez à personne de se mettre à genoux, puis de se cramponner au fauteuil pour arriver à se lever.

COMMENT DÉPLACER QUELQU'UN DU LIT À UN FAUTEUIL

Se lever du lit peut aider à rendre la personne plus joyeuse et contribuer à prévenir les plaies de lit.

Comment vous pouvez offrir des soins

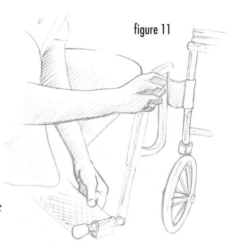

figure 11

- Prenez votre temps. La personne qui a été alitée pendant un certain temps pourrait se sentir étourdie quand elle s'assoit.

- Assurez-vous que l'étourdissement a passé avant de commencer.

- Ayez à portée de la main tout l'équipement nécessaire pour déplacer la personne.

- Mettez les freins du lit et abaissez le lit au niveau du fauteuil si c'est possible.

- Placez le fauteuil à la tête de lit faisant face aux pieds. Si vous utilisez un fauteuil roulant, assurez-vous que les freins sont mis et, si possible, enlevez les accoudoirs et la pédale au pied du côté du lit (voir figure 11).

figure 12

- Veillez à ce que vous et la personne ayez des chaussures à semelles antidérapantes.

- Élevez la tête du lit aussi haut que possible.

- Déplacez les jambes de la personne vers le côté du lit puis aidez la personne à glisser vers le rebord du lit. Ses pieds devraient toucher le plancher ou un tabouret (voir figure 12).

- Fléchissez vos genoux et penchez-vous vers la personne en gardant le dos droit.

figure 13

- Placez les bras de la personne autour de votre dos et non autour de votre cou. Si la personne est trop faible pour s'agripper, placez ses bras par-dessus vos épaules, sa tête s'appuyant sur votre épaule (voir figure 13).

- Placez vos bras autour des reins de la personne ou utilisez la ceinture, une couverture tournante, une serviette ou une courroie de transfert autour de votre dos pour soutenir la personne.

- Faites un mouvement doux d'avant vers l'arrière pour prendre votre élan et comptez jusqu'à trois. D'un mouvement continu, mettez-vous debout, pivotez, déplacez-vous en traînant les pieds ensemble vers l'arrière jusqu'à ce que le fauteuil touche l'arrière des genoux de la personne et abaissez-la pour la placer dans le fauteuil (voir figures 14 et 15).

- Replacez l'accoudoir du fauteuil roulant et la pédale au pied.

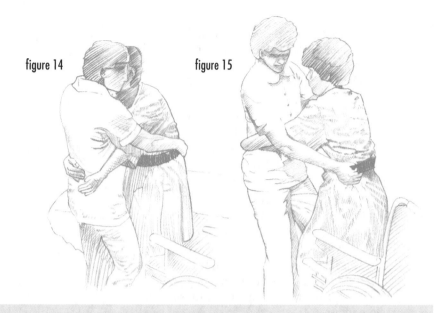

figure 14   figure 15

POINTS IMPORTANTS

- Si la personne ne peut pas se mettre debout, ne tentez pas ce type de déplacement. Renseignez-vous auprès de votre infirmière de soins à domicile concernant un soulève-personne mécanique ou une aide au transfert.
- Un ergothérapeute ou physiothérapeute pourrait vous donner des conseils concernant le déplacement. Renseignez-vous au sujet de l'utilisation d'une courroie de transfert.

LA MARCHE

Bien que la personne puisse être capable de se mettre debout et de marcher, elle aura peut-être quand même besoin d'aide pour ne pas tomber. Certaines personnes pourront utiliser une canne ou un dispositif de marche alors que d'autres auront besoin d'un soutien.

Comment vous pouvez offrir des soins

Souvenez-vous que le plus important pour vous, c'est d'empêcher la chute de la personne chère quand elle marche.

- Enlevez tous les obstacles sur son chemin, prévoyez une chaise ou un fauteuil à portée de la main au cas où la personne aurait besoin de se reposer.
- Veillez à ce que tous deux portiez des chaussures à semelles antidérapantes.

figure 16

- Fournissez un soutien du côté plus faible de la personne. Si elle utilise une canne, demandez à la personne de s'en servir de son côté le plus fort. Ceci gardera le poids du côté capable de le soutenir.

- Soyez sur le côté de la personne, légèrement en retrait, faisant face à la même direction. Au besoin, rappelez à la personne de se tenir droite et de regarder vers l'avant et non le plancher.

- Placez votre bras autour de la taille de la personne et utilisez votre autre main pour soutenir le coude ou la main de la personne. Restez tout près d'elle pour la soutenir de votre corps tout entier (voir figure 16).

- Essayez d'utiliser une ceinture ou une couverture repliée autour de la taille de la personne pour que vous y agripper, pour lui fournir un soutien supplémentaire.

- Demandez à un membre de votre équipe de santé si une courroie de transfert ou un déambulateur faciliterait les mouvements de la personne.

POINTS IMPORTANTS

- Demandez des conseils à un ergothérapeute, un physiothérapeute ou à une infirmière de soins à domicile si vous n'êtes pas sûr de savoir comment aider la personne à se déplacer.

- Souvenez-vous toujours d'utiliser une bonne mécanique corporelle.

- Si la personne commence à tomber, ne résistez pas à la chute. Tombez doucement et protégez-vous tous deux. Veillez à protéger la tête de la personne pour qu'elle ne heurte pas le plancher.

- Une fois que vous aurez atteint le plancher, prenez quelques secondes pour vous calmer et vérifier que la personne n'est pas blessée.

- Pour aider une personne à se relever d'une chute, aidez la personne à se placer sur un fauteuil puis aller du fauteuil au lit. Demandez à la personne de se mettre à genoux, puis de se cramponner au fauteuil pour arriver à se lever.

- **Appelez de l'aide si :**

  - *vous trouvez la personne sur le plancher et vous soupçonnez une blessure.*

  - *vous ne pouvez pas relever la personne du plancher.*

  - *vous avez des doutes concernant votre capacité de déplacer la personne seul.*

LES TOILETTES

Pour certaines personnes, le besoin de recevoir une aide pour aller aux toilettes peut être très embarrassant. Ceci est particulièrement vrai pour les personnes qui sont confinées au lit.

Ce qu'il faut savoir

- La personne pourrait avoir besoin d'utiliser les toilettes, une commode, un urinal ou une bassine, selon son degré de mobilité.
- Quand vous aidez la personne en matière d'évacuation, respectez sa dignité.
- Soyez sensible à son besoin d'intimité.
- Ayez une attitude directe concernant l'activité afin de réduire sa gêne.

La salle de bain

Quand la personne est capable de se lever pour aller aux toilettes, offrez-lui l'aide nécessaire. Restez près d'elle.

- Veillez à ce que le plancher de la salle de bain soit sec, que la personne soit chaussée de chaussures à semelles antidérapantes et que le chemin pour aller aux toilettes soit bien illuminé et sans obstacles.
- Placez du papier hygiénique à portée de la main.
- Respectez son intimité si la personne peut être laissée seule.
- Donnez-lui le temps nécessaire. Le bruit de l'eau courante pourrait aider quelqu'un qui a du mal à uriner.
- Aidez la personne à s'essuyer au besoin. Essuyez de l'avant vers l'arrière.
- Aidez la personne à se laver quand elle aura terminé, puis lavez-vous les mains.
- Laissez la personne revenir tranquillement au lit ou au fauteuil.

Les commodes

Les commodes sont des toilettes portatives en forme de chaise. On peut la placer près du lit de la personne qui est capable de se lever, mais qui est trop faible pour aller à la salle de bain.

- Assurez-vous que les freins sont mis à la commode.
- Usez des techniques décrites dans la section « Comment déplacer la personne du lit au fauteuil » (p. 45) pour aider la personne à se placer sur la commode et à l'utiliser.
- Laissez la personne en faire autant que possible. Placez du papier hygiénique à portée de sa main.

- Aidez la personne à se laver les mains.
- Videz le seau de la commode dès que vous aurez aidé la personne à retourner au lit ou au fauteuil.
- Lavez-vous les mains et replacez la commode à son endroit habituel.

L'urinal

L'urinal est une petite bouteille que les hommes peuvent utiliser pour uriner. L'urinal peut avoir différentes formes et tailles et il est généralement fait en plastique. Certains sont faits de métal ou de carton moulé.

- Certains hommes sont capables d'utiliser l'urinal alors qu'ils sont allongés, mais d'autres préfèrent s'asseoir sur le rebord du lit ou être debout. Si la personne veut se lever, offrez votre soutien.
- Si la personne utilise l'urinal dans son lit, soulevez la tête de lit pour assurer son confort. Veillez à ce que le pied du lit soit abaissé pour que l'urine ne s'écoule pas de l'urinal.
- Gardez l'urinal vide et bien rincé après chaque utilisation. Ceci évitera l'urine renversée et les odeurs désagréables. Si vous lavez l'urinal à l'eau froide et au bicarbonate de soude, cela diminuera les odeurs.
- Lavez-vous les mains après avoir vidé l'urinal.
- Si la personne a besoin d'aide pour utiliser l'urinal, veillez à ce que le pénis soit placé directement dans l'urinal et à ce que l'urinal soit incliné vers le bas.

Les bassines

La plupart des gens trouvent les bassines inconfortables et difficiles à utiliser, mais si la personne n'est pas en mesure de se lever du lit, une bassine pourrait être nécessaire.

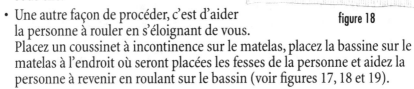

- Réchauffez la bassine si vous le désirez en la rinçant à l'eau chaude et en la séchant.
- Placez du talc sur la bassine pour qu'elle ne colle pas à la peau.

figure 17

- Placez la bassine en demandant à la personne qui a suffisamment de force de fléchir les genoux et de poser les pieds à plat sur le matelas. Aidez à soulevez les fesses de la personne quand vous glissez la bassine sous elle.
- Une autre façon de procéder, c'est d'aider la personne à rouler en s'éloignant de vous.

figure 18

Placez un coussinet à incontinence sur le matelas, placez la bassine sur le matelas à l'endroit où seront placées les fesses de la personne et aidez la personne à revenir en roulant sur le bassin (voir figures 17, 18 et 19).

- Élevez la tête de lit pour augmenter le confort. Abaissez les pieds du lit pour que l'urine ne s'écoule pas par accident.
- Veillez à ce que la personne soit bien essuyée et propre.
- Couvrez la bassine avant de l'enlever pour empêcher les écoulements. Videz-la dans les toilettes et nettoyez-la. Rincez-la à l'eau froide et au bicarbonate de soude pour empêcher les odeurs.
- Lavez-vous les mains et aidez la personne à se laver.

figure 19

LES BESOINS EN MATIÈRE DE NOURRITURE ET DE LIQUIDES

LA DIMINUTION DE L'APPÉTIT

Ce à quoi vous pouvez vous attendre

Prendre plaisir à manger et boire ensemble fait partie de notre culture. Il est difficile de constater que quelqu'un que vous aimez mange moins que d'habitude.

- La diminution de l'appétit est normale parce que le corps ne peut pas digérer la nourriture comme il le faisait avant.
- La personne pourrait refuser les aliments solides et se contenter de boire des liquides.
- Vous pourriez constater une perte de poids observable. Ceci pourrait être la conséquence de la maladie, quelle que soit la quantité de nourriture mangée par la personne.
- Un changement au niveau du sens du goût pourrait modifier le plaisir que l'on prend à manger. Parfois, c'est seulement temporaire.
- Un goût amer pourrait se développer ou parfois, les aliments pourraient sembler trop sucrés.
- Certaines personnes commencent à détester la viande ou certaines textures d'aliments et certaines odeurs.

Comment vous pouvez offrir un réconfort et des soins

Essayez de trouver des manières de tenter la personne à manger et fournissez-lui des aliments nourrissants, mais souvenez-vous que parfois, il est sans danger de ne pas manger. Ce qui est important, c'est que la personne continue de boire (voir Prévenir la déshydratation, p. 58).

- Essayez d'assaisonner les aliments de nouvelles épices et saveurs. Il est courant que les préférences d'une personne changent pendant la maladie.
- Évitez les aliments très assaisonnés ou très salés.
- Ajoutez des sauces aux aliments secs.
- Ajoutez aux aliments du sucre, du basilic, des assaisonnements, du jus de citron ou de la menthe.
- Ajoutez des fruits et des jus aux laits battus, aux cossetardes, aux crèmes glacées et aux poudings.
- Marinez la viande dans de la sauce au soya, dans du jus sucré ou du vin sucré.
- Tentez de donner à la personne d'autres aliments à forte teneur en protéines comme des œufs, de la volaille ou du poisson, pour quelqu'un qui n'aime plus la viande.
- Donnez des collations à haute teneur en protéines et à haute teneur en calories, comme du lait de poule, des soupes en crème et de la crème glacée.
- Choisissez des aliments qui sont mous et faciles à manger.
- Évitez les aliments qui ont une texture semblable aux aliments que la personne déteste.
- Essayez de donner à la personne de l'eau, du thé ou une boisson gazeuse pour dissiper un goût étrange. Parfois, les jus d'agrumes comme du citron ajouté à des aliments peuvent donner une saveur plus normale aux aliments.
- Augmentez ou diminuez le sucre dans les aliments si la personne trouve que cela améliore leur saveur.
- Introduisez de la variété au niveau de la couleur des aliments et utilisez des garnitures pour rendre les aliments plus attrayants.
- Choisissez les aliments favoris de la personne, servis en petites portions, cinq à six fois par jour.
- Offrez de petits repas fréquents quand la personne a moins mal et qu'elle est bien reposée.
- Faites réparer les dentiers ou essayez un produit comme Polygrip^MC s'ils n'adhèrent pas bien.
- Avertissez l'infirmière de soins à domicile si la nausée est un problème. Les médicaments contre la nausée peuvent être très utiles.
- Encouragez la personne à faire de l'exercice si possible pour améliorer son appétit. Même des exercices simples comme soulever les jambes au lit peuvent l'aider.

- Faites du petit déjeuner un repas nourrissant car l'appétit tend à diminuer au fur et à mesure de la journée.
- Essayez de lui donner un verre de bière ou de vin pour stimuler l'appétit, à moins que ceci ne soit pas recommandé par le médecin.
- Encouragez la personne à manger des aliments à faible teneur en matières grasses, à mastiquer lentement et à s'arrêter à l'occasion pendant le repas, pour éviter d'atteindre la satiété trop rapidement.
- Rafraîchissez et nettoyez la bouche de la personne avant et après le repas.
- Faites du repas une occasion sociale. La personne qui n'est pas capable de se lever pour aller à table sera heureuse de votre compagnie si vous vous assoyez à côté de son lit ou peut-être si vous mangez avec elle, à son chevet.
- Il faut manger dans une atmosphère calme et relaxée.
- Servez les aliments sur de petites assiettes pour que la quantité ne semble pas exagérée.
- Offrez des plats froids, comme du fromage cottage et des assiettes de fruits si l'odeur de la nourriture est un problème.
- Essayez des suppléments nutritifs comme Ensure^{MC} ou Boost^{MC}. De nouvelles saveurs sont introduites tout le temps. Même si la personne n'aime pas la saveur d'un supplément, cela vaut la peine de se renseigner régulièrement pour voir s'il en existe d'autres. Aussi, pour améliorer la saveur, on peut congeler le supplément et le manger comme une crème glacée ou l'épaissir pour en faire un pouding.

SUPPLÉMENTS NUTRITIFS

Les suppléments nutritifs (commerciaux ou préparés à la maison) peuvent aider les gens qui perdent du poids ou ont de la difficulté à mastiquer ou à avaler. Ces boissons ou poudings représentent une source pratique et facile d'ingestion de calories et de protéines.

Les suppléments nutritifs commerciaux

On peut acheter un grand nombre de suppléments commerciaux à la pharmacie ou à l'épicerie locale. Ceci inclut les suppléments pour les personnes qui ne tolèrent pas le lactose ou le sucre. En plus de certains noms de marque indiqués ci-dessous, il y a des marques génériques qui pourraient coûter moins cher. Certains des produits sont aussi disponibles avec de la fibre ajoutée. Les diabétiques ne devraient pas utiliser de produits contenant l'un ou l'autre des types de sucre. Si vous n'êtes pas sûr des types de sucre, posez la question à votre diététiste ou infirmière de soins à domicile.

Contient du lactose	Ne contient pas de lactose	Contient du sucre seulement
Carnation Instant Breakfast^{MC}	Resource Fruit Beverage^{MC}	Caloreen^{MC}
Meritene^{MC} - liquide - poudre	Ensure^{MC}	Polycose^{MC}
Sustacal^{MC} - liquide - pouding	Ensure Plus^{MC}	
	Ensure Fruitango^{MC}	
	Sustain^{MC}	
	Nutrisure^{MC} (Ensure Pudding)	
	Boost^{MC} et Boost Plus^{MC}	
	Attain^{MC}	

Les suppléments nutritifs préparés à la maison

Les suppléments nutritifs commerciaux comportent de nombreux nutriments, mais certaines personnes n'en aiment pas la saveur.

- Essayez plutôt d'offrir à la personne un lait battu nutritif ou un « power-slushie ».
  - Un lait battu nutritif est un lait battu auquel on a ajouté des poudres nutritives que l'on peut acheter dans les pharmacies et les magasins de produits de santé. C'est un repas tout entier dans un verre. Vous pouvez préparer cette boisson dans un mélangeur avec du lait, de la crème glacée et la poudre nutritive. On peut aussi utiliser des produits sans lactose comme Lactaid^{MC} ou Rice Dream^{MC} (une crème sans produits laitiers). On peut assaisonner de la saveur appréciée par la personne.
  - Les « power-slushies » peuvent être offerts quand la personne produit beaucoup de mucosités et que vous voulez éviter les produits laitiers. Dans un mélangeur, mélangez la poudre nutritive avec de la glace concassée et des jus de fruit.
- Une autre recette que vous pourriez essayer fournit un niveau semblable de calories et de protéines aux suppléments commerciaux. En voici quelques exemples :

Lait à forte teneur en protéines *(180 calories, 15 grammes de protéine)*
Mélangez   1 tasse de lait (250 mL)
            1/4 de tasse de lait écrémé en poudre (50 mL)

Lait battu *(380 calories, 20 grammes de protéine)*
Mélangez   1 tasse de lait à forte teneur en protéines (250 mL)
            3/4 de tasse de crème glacée (200 mL)

Lait battu au beurre d'arachides *(510 calories, 20 grammes de protéine)*
Mélangez 3/4 tasse de crème glacée (200 mL)

1/2 tasse de lait (125 mL)

1/4 tasse de lait écrémé en poudre (50 mL)

2 cuillerées à table de beurre d'arachides (30 mL)

Délice aux fraises *(765 calories, 20 grammes de protéine)*
Mélangez 1 tasse de crème glacée (250 mL)

3/4 tasse de lait (200 mL)

3/4 tasse de crème demi-grasse (200 mL)

1/4 tasse de tasse de lait écrémé en poudre (50 mL)

2 cuillerées à table de confiture de fraises (30 mL)

Lait battu au yogourt *(290 calories, 15 grammes de protéine)*
Mélangez 3/4 tasse de yogourt naturel (200 mL)

1/4 de tasse de lait écrémé en poudre (50 mL)

1/2 tasse de jus de pomme (125 mL)

1 cuillerée à table de sucre ou de miel (15 mL)

Super pouding *(1 065 calories, 35 grammes de protéine)*
Mélangez 1 paquet (4,5 onces, 113 grammes) de pouding instantané

2 tasses de lait (500 mL)

2 cuillerées à table d'huile (30 mL)

3/4 tasse de lait écrémé en poudre (200 mL)

Soupe Plus *(295 calories, 20 grammes de protéine)*
Mélangez 1 tasse de soupe en crème (250 mL)

2 onces de viande ou de volaille cuite (50 grammes)

2 cuillerées à table de lait écrémé en poudre (50 mL)

Lait battu aux fruits *(350 calories)*
Mélangez 1/2 tasse de lait entier

1/2 tasse de pêches ou autres fruits en boîte

1 tasse de crème glacée à la vanille

ALIMENTATION LIQUIDE

Ces recettes pourraient être utiles si la personne a du mal à avaler ou mastiquer la nourriture.

Repas mélangé chaud (donne 6 portions de 6 onces, 155 calories par portion)

Mélangez jusqu'à ce que le tout soit lisse et réchauffer

1 tasse de viande cuite (coupée fin) ou de viande pour bébé en boîte

1 tasse de carottes cuites ou d'autres légumes et réchauffer 2 petites pommes de terre cuites

2 tasses de lait entier

1 tasse de soupe en crème en boîte ou faite maison

Repas froid au mélangeur (donne 6 portions de 6 onces, 265 calories par portion)

Mélangez et ajoutez du sirop ou une saveur au besoin

2 tasses de crème glacée et ajouter

1 1/2 tasse de lait entier

1 tasse de céréales en crème

1/2 tasse de sucre

POINTS IMPORTANTS

- Pour l'utilisation sécuritaire des suppléments fabriqués à la maison :
  - Gardez-les réfrigérés et jetez-les après 24 heures
  - Ne pas garder à la température de la pièce pendant plus de deux heures.
- Suivez ces instructions attentivement car les suppléments ne restent pas frais longtemps.

COMMENT AIDER LA PERSONNE À MANGER

Manger peut causer des problèmes. En plus de ne pas avoir beaucoup d'appétit, la personne pourrait ne pas avoir l'énergie suffisante pour manger.

Comment vous pouvez offrir un réconfort et des soins

Bien que la personne chère puisse avoir de la difficulté à manger, il y a certaines choses que vous pouvez faire pour lui faciliter la tâche.

- Encouragez la personne à se reposer après les repas, mais gardez la tête de lit élevée pour aider sa digestion.
- Modifiez l'alimentation de la personne si elle ne peut plus utiliser ses dentiers. Des aliments mous ou des portions coupées petit de viande humectée avec de la sauce sont des solutions idéales.
- Souvenez-vous que la personne pourrait oublier de manger. Offrez-lui de petites collations tout au long de la journée plutôt que d'attendre qu'elle vous demande de manger.
- Évaluez la capacité de la personne de mastiquer et d'avaler avant de servir les aliments solides. Pour une personne qui peut avaler mais ne peut pas mastiquer, des aliments en purée ou des poudings seraient préférables. Pour une personne qui peut avaler, coupez les morceaux de nourriture petits pour qu'elle nécessite moins d'énergie pour manger.
- Si la personne préfère manger avec les doigts ou si c'est la seule solution pour elle, donnez-lui des aliments à manger avec les doigts. Ceci aidera à maintenir son niveau d'indépendance.
- Veillez à ce que la tête de la personne soit bien soutenue et droite quand elle mange ou quand on la fait manger.
- Utilisez une grande serviette au besoin pour aider à protéger les vêtements et à garder propre la literie.
- Utilisez une cuillère plutôt qu'une fourchette quand vous aidez quelqu'un à manger. Ceci évitera de la piquer accidentellement avec la fourchette. Aussi, une cuillère à long manche vous aidera à placer la nourriture assez loin dans sa bouche.

POINTS IMPORTANTS

- Renseignez-vous auprès de votre pharmacien ou de votre infirmière de soins à domicile concernant les médicaments qui pourraient améliorer l'appétit.
- Dites à votre infirmière de soins à domicile si la nausée, la sécheresse de la bouche, les plaies de bouche ou les problèmes à avaler affectent l'appétit de la personne.
- Il ne faut jamais forcer quelqu'un à manger ou à boire.
- Si la personne s'étouffe ou tousse fréquemment pendant qu'elle mange ou boit, arrêtez. Demandez à votre infirmière de soins à domicile s'il est sécuritaire de continuer de nourrir la personne.

- Offrez de petites bouchées et placez la nourriture à l'entrée de la bouche. Attendez que la dernière bouchée soit avalée avant d'offrir la prochaine.
- Donnez séparément les liquides et les solides.
- Entraînez-vous sur un ami ou un membre de la famille. Changez de rôle pour que vous puissiez faire l'expérience des deux côtés de la chose.
- Gardez un petit haricot ou un bol à proximité. Comme la personne pourrait avoir la nausée et vomir subitement, il faut être préparé.

COMMENT PRÉVENIR LA DÉSHYDRATATION

Les liquides aident à débarrasser le corps des produits de l'élimination et à garder les cellules et la peau en bonne santé. Si la personne chère n'est plus capable de boire assez de liquide, la déshydratation pourrait se produire, ce qui veut dire qu'il n'y a pas assez de liquide dans les tissus du corps. La déshydratation peut causer la faiblesse, la nausée, la confusion et l'agitation.

Ce qu'il faut savoir

- L'une des premières indications de la déshydratation, c'est que la production d'urine diminue.
- Quand la personne est déshydratée, la couleur de l'urine est jaune très sombre ou couleur thé, avec une forte odeur.
- Les déchets du corps ne seront pas éliminés et la personne pourrait devenir confuse.

POINTS IMPORTANTS

- Quand la personne devient affaiblie, il est plus important de boire que de manger.
- Il faut viser environ deux litres, soit huit à dix verres de liquide par jour.
- Si une déshydratation se produit parce que la personne ne boit pas, une solution de rechange serait de lui administrer des liquides en plaçant un aiguille sous la peau (voir Hypodermoclyse, p. 59).

Comment vous pouvez offrir un réconfort et des soins

- Ayez toujours des liquides à portée de la main, comme eau, jus, café, thé, morceaux de glace, bouillon de viande et suppléments nutritionnels. De l'eau à laquelle vous aurez ajouté du jus de citron est une boisson rafraîchissante.
- Changez les liquides souvent pour les garder frais.
- Utilisez des morceaux de glace ou des popsicles comme manière excellente de donner des liquides. Ceci aide aussi à garder la bouche humide et donne un sentiment de fraîcheur.
- Soulevez la tête de la personne quand vous l'aidez à boire. Utilisez quelques oreillers ou soutenez délicatement la nuque de la personne avec votre main. Il est presque impossible de boire quand on est allongé à plat.

- Demandez à la personne de prendre de petites gorgées sans aller trop vite pour ne pas s'étouffer.
- Utilisez une paille avec un coude quand la personne est assez forte pour pouvoir sucer le liquide.
- Essayez une bouteille thermos ou une tasse avec un bec verseur pour permettre à la personne de boire plus facilement si elle ne peut pas fixer ses lèvres autour du rebord du verre.
- Rappelez délicatement à la personne d'avaler si elle l'oublie. Parfois, caresser doucement le côté de la gorge aide à stimuler le réflexe de déglutition.
- Offrez des liquides un peu plus épais et plus faciles à avaler, comme des laits battus ou de la compote de pomme si la personne a de la difficulté à avaler.

L'HYPODERMOCLYSE

Si la personne chère ne peut pas boire assez de liquide par la bouche et si on pense que davantage de liquide pourrait améliorer sa qualité de vie, le médecin pourrait décider d'utiliser une intervention appelée hypodermoclyse.

Ce qu'il faut savoir

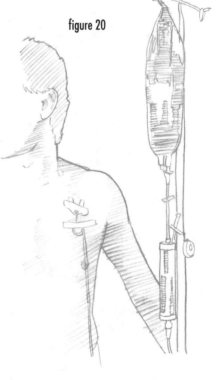

figure 20

L'hypodermoclyse, c'est la technique d'administration de liquides dans les tissus corporels au moyen d'une petite aiguille placée juste sous la peau (voie sous-cutanée). L'aiguille est attachée à un tube en plastique et à un sac d'eau. Une perfusion intraveineuse est rarement utilisée pour administrer des liquides à la personne parce que la méthode sous-cutanée est plus facile, plus sécuritaire et limite moins les mouvements de la personne (voir figure 20).

- L'insertion de l'aiguille est la même que celle décrite pour les médicaments sous-cutanées (voir p. 66).
- L'infirmière de soins à domicile commencera le traitement et aidera à le maintenir. (Si on vous enseigne comment commencer le traitement, voyez « Comment commencer une hypodermoclyse », p. 164, pour vous souvenir de la marche à suivre.)
- On peut administrer le liquide pendant le jour et pendant la nuit ou seulement la nuit, quand la personne dort.

- Il n'est pas nécessaire de changer l'emplacement de l'aiguille pendant une période pouvant aller jusqu'à sept jours.
- Des médicaments prescrits pour utilisation sous-cutanée peuvent être administrés par cette aiguille.
- L'aiguille est très petite. Elle pourrait piquer un peu quand on l'insère mais ne devrait pas causer de douleur par la suite.
- Du liquide pourrait s'accumuler sous la peau là où se trouve l'aiguille, mais sera graduellement absorbé dans le corps.

Comment vous pouvez offrir un réconfort et des soins

Rassurez la personne en lui disant que cette intervention est :

- une mesure visant à assurer son confort.
- une méthode sécuritaire de lui administrer des liquides.
- facile à fermer quand elle est assise ou quand elle marche.

Pour ou contre l'hypodermoclyse

On discute de la question de savoir si une personne mourante devrait recevoir des liquides par hypodermoclyse ou non. On pourrait vous demander votre opinion à ce sujet. Voici les arguments pour et contre ce traitement.

Pour le traitement

- Une mauvaise ingestion de liquide cause la déshydratation, ce qui peut aboutir à la confusion, à des hallucinations, une agitation et la nausée. La déshydratation devrait être évitée parce que :
  - si la personne prend des opioïdes, il y a un risque accru de toxicité causé par ces substances (voir Toxicité des opioïdes, p. 108).
  - la personne court un risque accru de plaies de lit et de constipation.
  - la sécheresse de la bouche et la soif sont un sujet d'inquiétude.

Contre le traitement

- Quand la personne est déshydratée, elle pourrait être moins consciente de la douleur et de la détresse.
- La déshydratation aboutit à une diminution des liquides respiratoires et gastriques, de l'excréta urinaire et de l'enflure, tout ceci pouvant être plus confortable pour la personne.

Souvenez-vous que chaque personne et chaque situation est différente. La décision de commencer ou non une hypodermoclyse ne peut être prise que par la personne chère, par vous et par l'équipe de soins de santé dans le cadre d'une décision commune.

LES MÉDICAMENTS

Faire bien attention à la bonne conservation et utilisation des médicaments aidera à augmenter leur efficacité.

Ce qu'il faut savoir

De nombreux médicaments pourraient avoir été prescrits et il est essentiel que ces médicaments soient utilisés de manière soigneuse et exacte. Si la personne n'est pas capable de le faire seule, vous pouvez l'aider de plusieurs manières différentes.

- Prendre note des médicaments est très important, surtout quand des doses régulières de médicaments pour la douleur sont administrées. Un bon système de notes vous aidera à bien vous organiser.

- Un diagramme indiquant la liste des médicaments, quand ils sont pris et quelle est la dose aidera le médecin à savoir s'il faut changer le médicament ou la dose (voir Tableau des médicaments à la maison, annexe III, p. 154).

- La chaleur et la lumière pourraient changer la composition chimique de certains médicaments.

POINTS IMPORTANTS CONCERNANT TOUTE MÉTHODE D'ADMINISTRATION DES MÉDICAMENTS

- Il ne faut jamais donner de médicaments par voie orale à une personne endormie ou inconsciente.
- Utilisez le bon médicament, à la bonne dose, au bon moment.
- Administrez le médicament par la méthode correcte : liquides, comprimés, gouttes, onguents, aérosols, suppositoires, injections.
- Si les médicaments sont prescrits par plusieurs médecins ou sont des produits en vente libre, demandez à votre médecin ou à votre pharmacien s'il est sécuritaire de les prendre ensemble.
- Adressez-vous à votre infirmière de soins à domicile ou à votre pharmacien si vous notez des changements soudains de comportement, des hallucinations ou autres réactions légères ou graves.
- Gardez les médicaments hors de portée d'une personne confuse.
- Si la personne utilise des produits d'un magasin d'aliments de santé ou des remèdes en vente libre, parlez-en à votre médecin ou à votre pharmacien pour éviter les risques de conflits. Par exemple, certaines herbes pourraient interférer avec des médicaments prescrits.
- **Demandez de l'aide si :**
  - *le site de l'aiguille devient rouge, enflé, fuit, saigne ou cause un inconfort.*

- La plupart des médicaments doivent être conservés dans un endroit frais et sombre.
- Certains médicaments doivent être conservés au réfrigérateur. Veillez à ce qu'ils ne gèlent pas et que les enfants ne puissent pas y avoir accès.
- Un grand nombre de médicaments ont une date d'expiration. Si un médicament est trop vieux pour pouvoir être utilisé, parlez à votre infirmière de soins à domicile pour savoir comment le mettre au rebut.
- Les médicaments devraient être conservés dans un endroit sécuritaire, hors de portée des enfants ou de toute personne qui pourrait les prendre accidentellement.
- Ne parlez pas en public des médicaments que vous avez à la maison et gardez-les dans un endroit sûr et caché. Il y a toujours un risque que quelqu'un essaie de s'introduire chez vous pour les voler.

Comment vous pouvez offrir des soins

Suivez les instructions concernant la bonne utilisation des médicaments et n'hésitez pas à demander des conseils si vous n'êtes pas sûr.

- Discutez avec votre infirmière de soins à domicile et votre pharmacien de la manière dont vous pourrez organiser un horaire des médicaments et comment vous pourrez aider la personne à prendre les médicaments de manière appropriée.
- Essayez d'avoir recours au même pharmacien tout le temps. Cette personne comprendra votre situation et elle sera mieux en mesure de répondre à vos questions.
- Souvenez-vous que cela pourrait vous prendre quelques jours pour faire renouveler un médicament sur ordonnance.
  - Sachez combien de médicament il vous reste et combien de temps il va vous durer.
  - Gardez les médicaments dans un seul endroit.
  - Il faut que quelqu'un soit chargé de surveiller la quantité nécessaire. Assurez-vous d'en commander plus avant de manquer de médicament.
- Il est très facile de mélanger les médicaments, surtout quand plusieurs médicaments sont utilisés.
  - Essayez d'organiser la manière dont vous conservez les médicaments pour qu'il soit facile de les distinguer.
  - Gardez une feuille de médicaments à portée de la main pour vérification rapide.
  - Essayez de coder les médicaments par couleurs. Marquez chaque étiquette d'un point de couleur, puis placez un point de couleur à côté du nom du médicament sur la feuille. Ceci vous aidera à vous assurer que vous donnez le bon médicament.

• Vérifiez chaque médicament deux fois pendant que vous le préparez. Lisez l'étiquette quand vous prenez le contenant et de nouveau quand vous aurez fini de le préparer pour vous assurer que c'est le bon médicament.

• Renseignez-vous auprès de votre pharmacien ou de votre infirmière de soins à domicile concernant une boîte à pilules pour aider à gérer la longue liste des médicaments à administrer. Ces boîtes à pilules sont appelées des dosettes. Votre pharmacien pourrait également être en mesure de vous aider à organiser les médicaments en groupes contenus dans un emballage appelé emballage à bulles (voir figure 21).

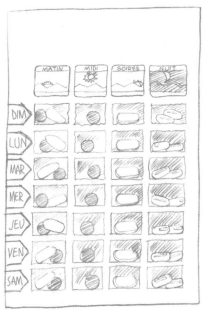

figure 21

• Quand vous ferez remplir une ordonnance, renseignez-vous au sujet des effets secondaires de façon à savoir à quoi vous attendre. Assurez-vous que le médicament est sécuritaire si vous l'administrez avec d'autres. Ayez sur vous une liste des autres médicaments utilisés.

• Renseignez-vous pour savoir s'il y a des aliments ou des boissons (comme l'alcool) qui pourraient interférer avec l'effet du médicament.

COMMENT ADMINISTRER LES MÉDICAMENTS PAR LA BOUCHE

Les médicaments donnés par la bouche sont aussi appelés « médicaments par voie orale ». Cela inclut tout ce qui est avalé : pilules, capsules, comprimés, losanges, sirops et élixirs. Les médicaments par voie orale sont les plus sécuritaires et les plus faciles à administrer.

• Lavez-vous les mains avant de manipuler le médicament.

• La plupart des médicaments par voie orale doivent être avalés immédiatement.

• Certains médicaments par voie orale, comme les losanges, doivent être sucés ou mastiqués. Les losanges ne doivent pas être avalés entiers.

• Pour les pilules, les capsules ou les comprimés, offrez un verre d'eau ou de jus pour aider la personne à avaler. Suggérez une gorgée de liquide avant de prendre la pilule afin de lubrifier la bouche et de faciliter la déglutition. Évitez le lait, à moins que l'on ne vous ait dit que le médicament doit être pris de cette manière.

- Aidez la personne à s'asseoir ou à soulever la tête pour avaler plus facilement. Ne donnez jamais un médicament par voie orale à quelqu'un qui est allongé à plat car ceci pourrait aboutir à un étouffement.
- Certains médicaments sont douloureux pour l'estomac. Il ne faut pas donner de médicaments par voie orale à une personne qui a l'estomac vide, à moins que les instructions ne le spécifient. Vérifiez les étiquettes sur le paquet ou sur le flacon et suivez-les.
- Vérifiez que le médicament a été avalé avant de cocher la feuille de médicaments.
- Si la personne a du mal à avaler les pilules, essayez certains de ces petits trucs :
  - Offrez de l'eau tout d'abord, afin d'humecter la gorge, placez les pilules à l'arrière de la langue et donnez un peu plus d'eau ensuite. Encouragez la personne à relaxer sa gorge pendant qu'elle avale.
  - Mélangez les pilules à de la compote de pomme, à de la confiture, à de la crème glacée, à du sorbet ou à du pouding, tout ce qui a la consistance nécessaire pour faire descendre les pilules dans la gorge.
  - Certaines pilules peuvent être écrasées puis mélangées, mais il faut se renseigner auprès du médecin ou du pharmacien pour savoir lesquelles peuvent être écrasées.
  - Les petites pilules peuvent être placées par le pharmacien dans une capsule de gélatine puis avalées ensemble, sous forme d'une seule capsule plutôt que des pilules séparées.
- Demandez à votre pharmacien si le médicament est vendu sous forme liquide. Si oui, demandez au médecin de changer l'ordonnance.
- Si la personne prend un médicament liquide et n'en aime pas le goût, gardez le flacon au réfrigérateur ou déguisez le goût avec un autre liquide, comme une boisson gazeuse, un jus ou du lait. Utilisez différents liquides pour que le mauvais goût ne soit pas associé à une boisson.
- Si la personne n'est pas capable d'avaler les médicaments, demandez à votre pharmacien ou à votre médecin s'il y a d'autres méthodes d'administration comme des suppositoires ou un timbre placé sur la peau. Il est important que l'horaire d'administration des médicaments ne soit pas interrompu.
- Si la personne présente des effets secondaires ou si le médicament ne donne pas les résultats attendus, parlez à l'infirmière de soins à domicile.

COMMENT ADMINISTRER DES MÉDICAMENTS EN SUPPOSITOIRES

Un suppositoire est un médicament moulé sous la forme d'un petit solide qui peut être inséré dans le rectum. Cette voie d'administration est une option utile quand les médicaments ne peuvent pas être données par la bouche. Les suppositoires sont utilisés le plus souvent pour soulager la douleur, la constipation, la nausée, les vomissements ou la fièvre.

- La plupart des suppositoires sont conservés au réfrigérateur, mais il ne faut pas les utiliser directement après les en avoir retirés. Ils seraient froids et pourraient être inconfortables. Il faut les réchauffer d'abord.

- Pour administrer un suppositoire, vous devrez porter des gants en latex et utiliser un lubrifiant comme du K-Y Jelly^MC. Rassemblez tout ce dont vous aurez besoin.

- Aidez la personne à se placer dans une position qui rendra l'insertion du suppositoire plus facile. La meilleure position est allongé sur le côté gauche, la jambe droite fléchie vers l'avant.

- Mettez le gant et lubrifiez le suppositoire (si vous n'avez pas de lubrifiant, mouillez le suppositoire pour faciliter l'insertion).

- Demandez à la personne de prendre une grande inspiration et d'essayer de relaxer les muscles de l'anus. Une respiration lente et rythmique aidera à relaxer les muscles.

- Écartez les fesses d'une main pour exposer l'anus. Puis, de l'autre, glissez le suppositoire à environ deux pouces à l'intérieur.

- Le suppositoire pourrait déclencher le besoin d'avoir des selles, mais encouragez la personne à se retenir. Le suppositoire prend 10 à 15 minutes pour se dissoudre.

COMMENT ADMINISTRER LES MÉDICAMENTS ABSORBÉS PAR LA PEAU (VOIE TRANSDERMIQUE)

Certains médicaments sont absorbés par la peau. Certains d'entre eux sont vendus sous forme de crèmes ou d'onguents qui sont appliqués à la peau. Certains sont vendus sous forme de timbres qui sont placés sur la peau et fixés en place par du ruban adhésif ou qui comportent leur propre adhésif.

- Pour les crèmes et les onguents, il pourrait être important de porter des gants pour ne pas être en contact avec le médicament. Renseignez-vous auprès de votre pharmacien.

- Quand on place un timbre de médicament sur la peau de la personne :
  - choisissez une région de la peau propre et sèche, à l'avant ou à l'arrière du corps, au-dessus de la taille (le médicament est mieux absorbé à cet endroit). N'appliquez pas le timbre sur une peau huileuse, brûlée, coupée, irritée ou sur une lésion ouverte. Pour nettoyer la peau, utilisez de l'eau seulement, pas de savon ni d'alcool. Veillez à ce que la région soit complètement sèche avant de poser le timbre.
  - coupez les poils s'il y en a avec des ciseaux, mais il ne faut pas raser la peau.
  - enlevez le timbre de son emballage protecteur et enlevez le papier qui le protège. Essayez de ne pas toucher le côté collant.
  - placez le côté collant contre la peau.

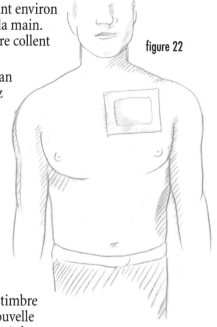

figure 22

- ◆ pressez le timbre fermement pendant environ 10 à 20 secondes avec la paume de la main. Assurez-vous que les côtés du timbre collent bien à la peau de la personne.
- ◆ fixez le timbre en place avec du ruban de papier s'il n'est pas adhésif. Fixez le haut, les côtés et le bas pour que le timbre semble être entouré d'un cadre (voir figure 22).
- ◆ lavez-vous les mains.

- Appliquez les nouveaux timbres à une région différente de la peau, pour éviter les irritations. Enlevez le vieux timbre avant d'en appliquer un neuf.

- Replacez le timbre par un nouveau dans une région différente s'il tombe accidentellement ou si la peau sous le timbre devient irritée. Assurez-vous que la nouvelle région de la peau utilisée est propre et sèche.

- Inscrivez l'horaire des changements de timbres. Certaines personnes inscrivent la date directement sur le timbre. Il est facile d'oublier quand il faut le changer.

- Jetez immédiatement les timbres usagés et ceux qui vous restent mais n'ont pas été utilisés. Le processus de mise au rebut varie d'une province à l'autre et vous devrez vous renseigner auprès de votre infirmière en soins à domicile pour savoir comment ceci est effectué dans votre collectivité.

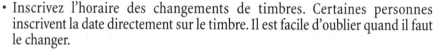

COMMENT ADMINISTRER DES MÉDICAMENTS PAR VOIE SOUS-CUTANÉE

Sous-cutané signifie tout simplement juste sous la peau. Pour une injection sous-cutanée, une toute petite aiguille est placée sous la peau (tissu sous-cutané). Cette aiguille est gardée en place et est bien fixée pour pouvoir être utilisée plusieurs fois.

La plupart des médicaments pour maîtriser les symptômes peuvent être administrés par des injections sous-cutanées plutôt qu'intraveineuses (IV). La méthode sous-cutanée est plus sécuritaire, plus facile et ne limite pas les mouvements de la personne comme le ferait une perfusion IV. Dans certains cas, une perfusion IV est nécessaire si la personne a besoin de recevoir un antibiotique ou des produits sanguins par voie IV, mais ceci est rarement nécessaire pour garder la personne confortable.

Ce qu'il faut savoir

Si la personne chère n'est pas capable de prendre les médicaments par la bouche, on pourrait avoir besoin de lui faire une injection sous-cutanée.

- Si vous voulez apprendre comment faire une injection sous-cutanée, l'infirmière de soins à domicile vous l'enseignera (voir « Comment insérer et retirer une aiguille sous-cutanée », annexe VI, p. 157).

- Que vous choisissiez ou non d'insérer l'aiguille sous-cutanée, l'infirmière de soins à domicile commencera ce traitement et vous aidera à le continuer.

- L'aiguille est très petite. Cela pourrait piquer au moment de l'insertion mais ne devrait plus causer de douleur par la suite.

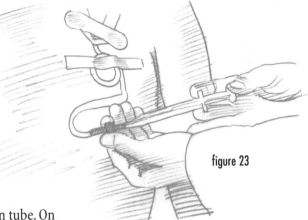

figure 23

- L'aiguille est insérée généralement à l'abdomen ou à la poitrine, mais peut aussi être placée à la cuisse, au haut du bras ou au dos.

- L'aiguille est munie d'un tube. On place un bouchon en caoutchouc à la fin du tube pour pouvoir administrer les médicaments (voir figure 23).

- Votre infirmière de soins à domicile pourrait précharger le médicament dans une seringue et vous demander de l'administrer à cause de l'horaire ou de la fréquence de la dose. Cela pourrait signifier administrer le médicament à des moments prévus ou quand la personne le demande.

- Votre infirmière de soins à domicile vous enseignera comment essuyer le bouchon en caoutchouc avec un écouvillon d'alcool et injecter le médicament.

- Une autre façon d'administrer des médicaments, c'est d'attacher une pompe qui comportera un petit contenant de médicaments. Il existe différents types de pompes. La personne pourra s'auto-administrer le médicament à l'aide d'une pompe ou il existe des pompes informatisées qui peuvent être réglées pour administrer le médicament continuellement (voir figures 24 et 25).

- Parfois, la pompe est fournie par l'hôpital ou, parfois, il faut la louer. Votre infirmière de soins à domicile vous aidera à organiser ceci.

- Une aiguille sous-cutanée est généralement laissée en place de quatre à sept jours, selon le type de médicament administré. Cependant, on la laisse parfois en place pendant 30 jours ou plus.

Comment vous pouvez offrir un réconfort

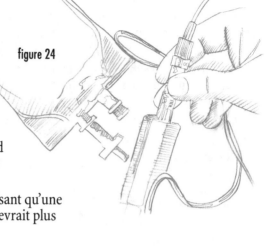

figure 24

- Expliquez la raison de l'insertion de l'aiguille sous-cutanée en disant qu'il est important que des médicaments continuent à être administrés, même quand la personne a de la difficulté à avaler.

- Rassurez la personne en lui disant qu'une fois l'aiguille insérée, elle ne devrait plus avoir d'inconfort.

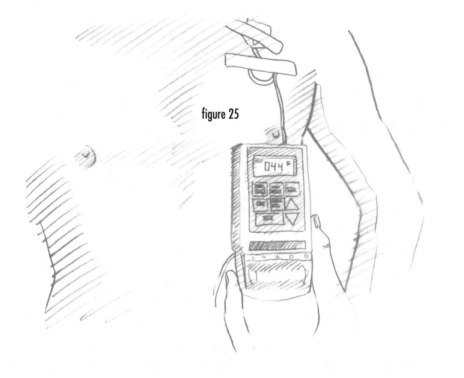

figure 25

Le soin des problèmes physiques

LA DOULEUR

L'ÉVALUATION DE LA DOULEUR

Quand quelqu'un se plaint de ressentir de la douleur, il s'agit généralement d'un endroit particulier du corps. Cependant, la personne pourrait avoir une sensation générale de malaise qui est parfois décrite comme étant de la douleur.

Ce qu'il faut savoir

Pour aider la personne, il est important d'évaluer la douleur. Il est aussi important de savoir que les gens expriment la douleur de différentes manières.

- L'évaluation de la douleur est un processus continu. Vous devrez en savoir le plus possible concernant le degré de douleur de la personne à un moment donné.

- La sensation de douleur peut être plus forte si la personne présente d'autres symptômes physiques, comme la nausée. Aussi, l'anxiété, la crainte, l'ennui et la solitude peuvent aggraver l'expérience de la douleur. Il vaut mieux résoudre ces besoins particuliers plutôt que d'augmenter les médicaments pour la douleur.

- Comprendre mieux la douleur vous aidera à fournir un réconfort et vous permettra de savoir si l'aide que vous fournissez donne de bons résultats.

Comment offrir un réconfort et des soins

Personne n'est plus expert concernant la douleur que la personne qui la ressent. Si la personne que vous soignez se plaint de douleur, croyez-la. Même si elle ne se plaint pas, posez-lui des questions si vous observez des signes d'inconfort.

- L'expérience de la douleur est différente pour chaque personne. En posant les questions suivantes, vous pourrez fournir au médecin ou à l'infirmière de soins à domicile des informations qui pourront aider à soulager la douleur.

  - Où as-tu mal? Est-ce que c'est à un endroit particulier ou partout? Demandez : « Peux-tu montrer du doigt où tu as mal? Est-ce que c'est profondément, à l'intérieur, ou à la surface? Est-ce qu'il y a plusieurs types de douleurs? »

  - Quand la douleur a-t-elle commencé - il y a une heure, hier, il y a plusieurs mois?

  - À quelle fréquence y a-t-il douleur?

  - Combien de temps dure la douleur : quelques minutes, quelques heures? Est-ce qu'elle va et vient ou est-elle constante?

- Comment est la douleur? Demandez à la personne de la décrire. Fournissez des exemples de mots à utiliser comme : en coups de couteau, brûlante, pulsante, perçante, douleur sourde.

- À quel degré est-ce que ça fait mal? Il est utile de demander à la personne de fournir une cote pour la douleur sur une échelle allant de 0 à 10, 0 signifiant pas de douleur et 10, la pire jamais ressentie.

- Qu'est-ce qui pourrait avoir déclenché la douleur : un mouvement, manger, une pression, la manière dont la personne était couchée ou assise?

- Qu'est-ce qui a fait arrêter la douleur : le repos, un massage, le mouvement?

- Dans quelle mesure la douleur limite-t-elle les activités normales?

- Quels autres symptômes sont présents?

> ## POINTS IMPORTANTS
>
> - **Appelez à l'aide si :**
>   - *une nouvelle douleur se présente - pas celle que la personne ressent généralement.*
>   - *la douleur continue après avoir administré trois doses de charge en 24 heures (voir les informations sur la dose pic dans la section suivante, La gestion de la douleur avec les médicaments).*
>   - *il y a une augmentation rapide de l'intensité de la douleur.*
>   - *il y a une douleur aiguë soudaine.*
>   - *Vous notez une confusion soudaine (voir Confusion, p. 97).*

- L'utilisation continue d'une échelle de cote de la douleur peut fournir des informations précieuses sur l'expérience de la douleur chez la personne au fil du temps. Une échelle peut être utilisée chaque jour pour aider à évaluer la douleur. Ces informations peuvent être transposées sur un graphique. En lisant ce graphique, l'infirmière de soins à domicile pourra vous aider à décider si vous devez contacter le médecin pour un changement de médicament (voir Échelle d'évaluation des symptômes, annexe IV, p. 155, et l'Échelle de cote de la douleur Wong-Baker, voir ci-dessous).

0	2	4	6	8	10

LA GESTION DE LA DOULEUR AVEC LES MÉDICAMENTS

Une personne éprouvant une douleur constante doit prendre régulièrement un médicament pour la douleur afin de la soulager.

Ce qu'il faut savoir

Échelle analgésique de l'Organisation Mondiale de la Santé

Soulagement de la douleur

Analgésiques opiacés pour douleur modérée à sévère
Analgésiques non opiacés
Co-analgésiques

Douleur persistante ou augmentative

Analgésiques opiacés pour douleur légère à modérée
Analgésiques non opiacés
Co-analgésiques

Douleur persistante ou augmentative

Analgésiques non opiacés
Co-analgésiques

Douleur

- L'objectif de la gestion de la douleur, c'est de garder la personne alerte et soulager la douleur. Cela prend du temps et de l'expérience pour arriver à trouver la combinaison exacte de médicaments qui permettront à la personne de se sentir ainsi. Vous pouvez écourter ce processus en notant par écrit les effets positifs et négatifs des nouveaux médicaments et en mentionnant les résultats au médecin.

- Une fiche de la douleur et de l'administration régulière des médicaments pour la douleur ainsi que des doses pic aideront le médecin à ajuster la dose (voir Évaluation de la douleur, p. 70).

- Les médicaments fournissant un soulagement de la douleur sont appelés analgésiques. Les deux groupes principaux d'analgésiques sont les opioïdes et les non-opioïdes (voir l'échelle des analgésiques de l'Organisation mondiale de la santé).

- Les opioïdes sont des analgésiques comme défini la Loi réglementant certaines drogues et autres substances du Canada. (Bien que le mot narcotique soit souvent utilisé pour ces médicaments, le terme exact est opioïdes.) Ils sont utilisés pour soulager la douleur modérée à grave.

- Les non-opioïdes sont probablement les médicaments les plus couramment utilisés et ils incluent des produits pour soulager la douleur et abaisser la fièvre. Ils sont généralement prescrits pour la douleur légère à modérée.

Comment offrir un réconfort et des soins

Certaines lignes directrices s'appliquent à l'utilisation de tout médicament pour la douleur.

- Il faut donner le médicament selon l'horaire prévu, même en l'absence de toute douleur à ce moment-là, pour éviter le retour de la douleur. Une fois que la douleur est revenue, elle devient plus difficile à soulager. (Il y a une minuterie de quatre heures disponible sur le marché qui peut vous aider à vous souvenir de l'horaire d'administration du médicament pour la douleur. Si ceci pourrait vous aider, parlez-en à votre pharmacien.)
- Prévoyez de soigner la personne juste après que le médicament a commencé à agir, pour réduire son inconfort. La plupart des médicaments pour la douleur ont un effet dans les 30 minutes qui suivent. Il est utile de savoir ceci : si vous devez changer un pansement ou déplacer la personne dans son lit.
- Le médicament pour la douleur, quand on le prend régulièrement, est tout aussi efficace pris par la bouche que par une injection. C'est seulement quand la personne ne peut pas prendre de pilules par la bouche que d'autres voies d'administration doivent être envisagées comme des injections ou des suppositoires.

Aspects dont il faut se souvenir concernant les médicaments opioïdes pour la douleur

- Les opioïdes à action courte nécessitent une dose toutes les trois à quatre heures pour garder la personne entièrement confortable. Si la personne ne prend pas d'opioïdes à action prolongée, utilisez un réveil-matin ou autre pour vous réveiller la nuit afin d'administrer les doses nécessaires. Sinon, la personne se réveillera en souffrant.
- Prenez des notes du soulagement de la douleur. Si la personne prend depuis trois ou quatre jours une dose stable de médicament pour la douleur, le médecin pourrait prescrire un opioïde à action plus lente. Certains de ces opioïdes durent 12 à 24 heures et l'un d'entre eux est disponible sous forme de timbre dont l'action se prolonge pendant trois jours. La douleur de la personne doit être maîtrisée pour que ces options donnent de bons résultats.
- Parfois, la douleur présente un pic même quand elle devrait être soulagée par un médicament. Par exemple, la personne pourrait ressentir une douleur légère ou même grave deux heures avant la prochaine dose prévue. Dans ce cas, une dose pic du médicament pour la douleur est souvent prescrite. Les lignes directrices en matière de fréquence d'utilisation du médicament pic varient de trois fois en 24 heures à quatre ou cinq fois. Renseignez-vous auprès de votre infirmière de soins à domicile pour savoir quelle est la fréquence suggérée dans votre région. Vous devrez signaler à votre médecin ou à l'infirmière de soins à domicile si le médicament pic donné à des intervalles d'une heure trois fois de suite ne soulage pas la douleur. Prenez en note chaque médicament pic administré à la personne, afin que le médecin puisse modifier la dose normale. (Voir tableau de la douleur pic à la maison, annexe V, p. 156.)

- Souvenez-vous que les opioïdes sont des médicaments puissants et qu'ils doivent être conservés hors de la vue et de la portée des enfants et d'autres personnes. Comme pour tout autre médicament, ne parlez pas en public du fait que vous avez ces médicaments chez vous. Sinon, quelqu'un pourrait s'introduire chez vous pour essayer de les voler.
- Ayez au moins chez vous une quantité de médicaments opioïdes pour une semaine.
- Demandez à votre infirmière de soins à domicile comment vous devriez mettre rebut les opioïdes non utilisés.

Ce dont il faut se souvenir concernant les médicaments pour la douleur non opioïdes

Il y a certaines mesures que vous pouvez prendre pour aider à rendre le soulagement de la douleur plus efficace et réduire les effets secondaires.

- À moins que l'on ne vous précise le contraire, offrez le médicament avec de la nourriture pour diminuer les problèmes d'estomac.
- L'acétaminophène (Tylenol^{MC}) peut être pris l'estomac vide pour améliorer son absorption.
- Guettez les signes de saignement ou de bleu, car certains de ces médicaments peuvent affecter la coagulation sanguine.

LES EFFETS SECONDAIRES DES OPIOÏDES

Somnolence

Quand un médicament est donné pour la première fois, il peut avoir un effet sur le système nerveux.

- La personne pourrait devenir somnolente. Ceci pourrait se dissiper en quelques jours ou durer jusqu'à une semaine. Souvenez-vous que la personne pourrait aussi être fatiguée suite à l'épuisement et au manque de sommeil.
- Laissez la personne faire une sieste aussi fréquemment qu'elle le désire. Il faudra quand même vous assurer que vous êtes en mesure de réveiller la personne à moins qu'elle soit si malade que ceci ne soit pas possible.

La nausée et les vomissements

Quand on commence à les utiliser, les opioïdes puissants peuvent causer de la nausée et même faire vomir la personne. Ces problèmes disparaissent généralement en quelques jours.

- La nausée et les vomissements peuvent également être l'effet d'autres médicaments que la personne prend ou le résultat de la maladie elle-même.

- Encouragez la personne à rester au lit pendant la première heure suivant l'administration du médicament pour la douleur.
- Rappelez à la personne que la douleur peut causer une nausée et des vomissements et, dans ce cas, le médicament pourrait aider à les soulager.
- Renseignez-vous auprès de votre médecin concernant un médicament antinausée à donner pendant trois ou quatre jours quand on commence à administrer un nouvel opioïde à la personne ou qu'on lui augmente sa dose (voir Nausée et vomissements, p. 92).

Constipation

Les opioïdes ralentissent l'activité intestinale et la constipation peut être un problème persistant pendant toute la période où la personne prend ces médicaments.

- Toute personne prenant des opioïdes devrait aussi prendre un stimulant intestinal et un laxatif, pour prévenir la constipation (voir Constipation, p. 85).
- Avertissez immédiatement l'infirmière de soins à domicile si vous observez un changement au niveau de la routine régulière des intestins.

Confusion

Une personne qui prend des médicaments pour la douleur, particulièrement les opioïdes, pourrait se sentir un peut confuse. Certaines personnes pourraient même avoir des hallucinations, bien que ceci soit une réaction inhabituelle et puisse être traité.

- En cas de confusion, avertissez votre infirmière de soins à domicile. Elle pourrait recommander de diminuer la dose du médicament ou d'en utiliser un autre type. De plus, d'autres aspects de la maladie pourraient causer la confusion et pourraient devoir être examinés.

La myoclonie

C'est une contraction ou un spasme des muscles que la personne ne peut pas contrôler.

- La myoclonie est une sensation semblable à celle que l'on peut éprouver quand on est sur le point de s'endormir et que l'on se réveille en sursaut.
- C'est une réaction à certains médicaments qui n'est pas rare. La contraction musculaire n'est pas du tout reliée à une convulsion (voir Convulsions, p. 112).
- Avertissez votre infirmière de soins à domicile si une myoclonie se produit.

L'accoutumance et la dépendance physique

Il y a une différence entre l'accoutumance et la dépendance physique. La dépendance physique, c'est le besoin du corps de maintenir l'effet d'un médicament. Quand on arrête de prendre le médicament, le corps présente des symptômes de retrait. L'accoutumance, c'est quelque chose que l'on désigne parfois sous le nom de dépendance psychologique, le besoin de ressentir le « high » fourni par le médicament ou le désir de ne pas continuer à vivre sans la sensation que cela donne.

- L'un des plus grands mythes concernant la gestion de la douleur, c'est que les personnes qui prennent un médicament pour la douleur s'y accoutument. Si on utilise ces médicaments correctement, il n'y a pas d'accoutumance aux médicaments pour la douleur.
- Les recherches ont démontré que moins de 1 % des patients hospitalisés recevant des opioïdes pour la douleur s'y accoutument. La plupart des gens arrêtent de prendre des opioïdes quand la douleur arrête.
- Même dans le cas de la douleur chronique et de l'utilisation à long terme des opioïdes, bien qu'une dépendance physique puisse se produire, l'accoutumance est rare.

Tolérance

- De nombreuses personnes qui prennent un médicament pour la douleur nécessiteront une dose plus forte au fil du temps, parce que le corps développera une tolérance au médicament.
- La dose d'opioïdes peut être augmentée autant que nécessaire par le médecin, pour soulager la douleur.

LES AUTRES MOYENS DE GÉRER LE SOULAGEMENT DE LA DOULEUR

Il y a d'autres façons de gérer la douleur qui réussissent parfois.

TENS (stimulation nerveuse transcutanée)

Cette technique consiste à utiliser un petit dispositif électronique qui émet de faibles pulsations électriques, par la peau, aux nerfs sous-jacents. On pense que l'activité électrique légère aide à arrêter la douleur. La technique TENS pourrait ne pas être offerte dans votre région. Votre infirmière de soins à domicile vous dira si cela pourrait aider la personne chère et si cette technique est disponible.

- Le placement des électrodes dépend de la région et du type de la douleur. Un physiothérapeute ou un autre membre de l'équipe de soins de santé formé à l'utilisation de la méthode TENS peut vous enseigner où placer les électrodes et comment utiliser la machine TENS.

- Les électrodes ne devraient pas être placées sur une région où la radiation est administrée à l'heure actuelle, ni pendant 10 à 14 jours par la suite.
- La machine TENS ne devrait pas être utilisée sur les sinus, les yeux et les oreilles.
- Une personne ayant un stimulateur cardiaque ne devrait pas utiliser la machine TENS.
- La machine TENS ne devrait pas être utilisée près du cœur.
- La machine TENS ne devrait pas être placée sur une peau douloureuse, enflée, infectée ou en mauvaise santé.

La technique TENS pourrait ne pas être offerte dans votre région. Votre infirmière de soins à domicile vous dira si cela pourrait aider la personne chère et si cette technique est disponible.

Les formes de soulagement de la douleur autres que les médicaments

- Certaines thérapies douces pourraient aider à distraire la personne pour lui faire oublier la douleur et pourraient même soulager la douleur (voir Soins de médecine douce, p. 98).
- Un anesthésique local peut être injecté autour des nerfs pour bloquer la douleur se produisant à une région en particulier. Ces résultats pourraient être temporaires ou durables.
- L'acupuncture est un ancien traitement chinois utilisant des aiguilles stériles placées à des endroits spécifiques du corps pour soulager la douleur.
- On peut utiliser la radiothérapie pour réduire les tumeurs, ce qui soulage les symptômes de la personne.

LES PROBLÈMES DE PEAU

LES DÉMANGEAISONS

La démangeaison est une sensation désagréable qui cause le désir de se gratter ou de se frotter la peau. Les causes courantes de démangeaison, pendant une maladie terminale, incluent la peau sèche, les allergies, les effets secondaires des médicaments, la chimiothérapie ou la radiothérapie et la croissance de la tumeur.

Ce à quoi vous pouvez vous attendre

Une maladie terminale peut causer de nombreux changements au niveau de la peau. Certains de ces changements peuvent être très inconfortables et aboutir à une agitation, de l'anxiété, des plaies et une infection.

- La peau peut être sèche, rouge, rude au toucher ou peler.
- Une éruption cutanée (rougeur de la peau) légère ou étendue peut se produire.
- Si la personne se gratte, cela peut aboutir à un saignement et des plaies.

POINTS IMPORTANTS

- **Demandez de l'aide si :**
  - *les démangeaisons ne disparaissent pas après deux jours.*
  - *la peau de la personne devient jaunâtre.*
  - *la personne se gratte tellement que la peau est rouge.*
  - *l'éruption cutanée empire après l'application de crème ou d'onguent.*

Comment offrir des soins

Il peut être difficile d'empêcher la personne de se gratter sans y penser ou pendant son sommeil. Le réconfort principal que vous pourrez fournir, c'est de trouver des manières de soulager les démangeaisons.

- Appliquez des crèmes pour la peau dans une base soluble à l'eau deux à trois par jour, particulièrement après le bain, quand la peau est humide.
- Utilisez de l'eau tiède plutôt que chaude pour le bain, car l'eau chaude sèche la peau.
- Ajouter à l'eau du bain du bicarbonate de soude ou de l'huile de bain.
- Lavez délicatement la peau à l'aide d'un savon doux. Évitez de frotter.
- Utilisez du bicarbonate de soude au lieu de désodorisant sous les bras.
- Gardez les ongles propres et coupés courts.
- Encouragez la personne à avoir recours à un frottement, une pression ou des vibrations au lieu de se gratter.
- Choisissez des vêtements amples, faits de tissu doux.
- Changez chaque jour la literie.
- Aidez à garder la personne hydratée en l'encourageant à boire de l'eau et d'autres liquides.
- Fournissez des diversions comme la télévision, la radio, des livres.
- Recouvrez la personne de draps et couvertures légers.
- Évitez d'appliquer sur la peau les produits parfumés et à base d'alcool.
- Utilisez des détersifs doux pour la lessive.

LES PLAIES DE LIT (PLAIES DE PRESSION)

Une plaie de lit se développe quand la circulation de l'oxygène à une certaine partie du corps est arrêtée et que le tissu de cette région meurt. Les plaies empirent quand la personne les frotte contre les draps, qu'on tire sur le lit ou sur la chaise ou qu'on la laisse trop longtemps avec de l'urine ou des selles sur la peau.

Ce qu'il faut savoir

La meilleure approche au problème des plaies de lit, c'est la prévention (voir Attention aux régions de pression, p. 38). Elles sont très difficiles à guérir une fois qu'elles se produisent. Le premier symptôme de plaie est un avertissement qu'il faut donner des soins supplémentaires.

- Les régions rougies de la peau qui ne se dissipent pas, même si la pression est retirée, sont un avertissement qu'une plaie pourrait survenir.
- La peau craquelée, qui pèle, présentant des ampoules ouvertes peut se dégrader très facilement.
- La douleur aux « points de pression » (nuque, épaules, coudes, fesses et talons) est un avertissement que ces régions nécessitent une attention spéciale (voir figure 26).
- Des taches jaunâtres sur les vêtements, les draps ou le fauteuil, pouvant être teintées de sang, proviennent probablement d'une plaie suppurante.

Comment offrir des soins

La personne confinée au lit ou qui passe tout son temps dans un fauteuil roulant exerce une pression constante au même endroit, ce qui rendra les plaies plus probables dans ces régions. Si des plaies apparaissent, elles devraient être gardées propres et on devrait éviter toute pression sur cette région. Alertez immédiatement votre infirmière de soins à domicile si vous découvrez une plaie.

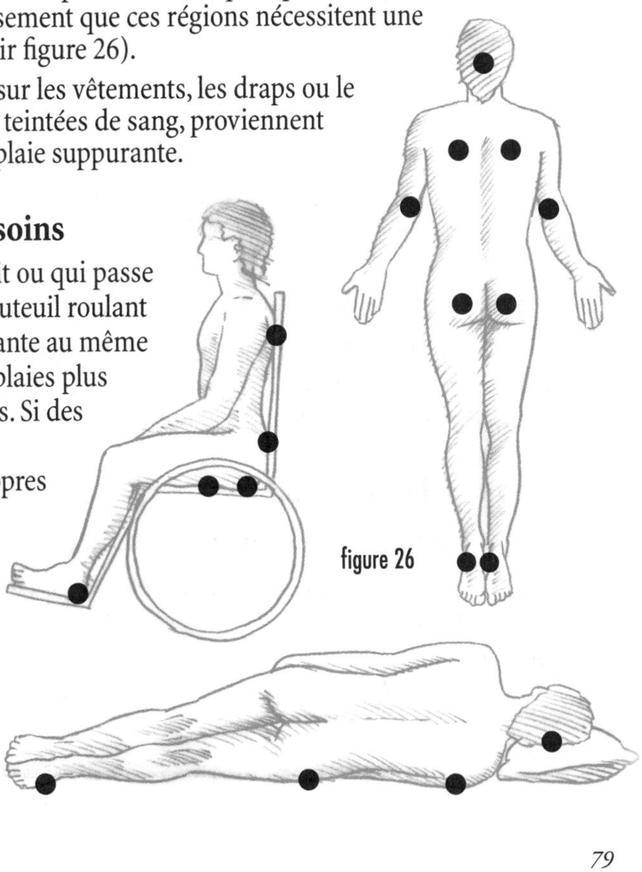

POINTS IMPORTANTS

- Une plaie ouverte à la surface de la peau ou dans les tissus sous-jacents nécessite des soins urgents.
- **Demandez de l'aide si :**
  - *vous observez que la peau est craquelée, pèle, présente des ampoules, est ouverte ou rouge.*
  - *la plaie s'agrandit.*
  - *la plaie sent mauvais.*
  - *Vous notez un épais liquide vert s'échappant de la plaie.*

figure 26

- Protéger les « points de pression » avec des oreillers pour éviter les plaies de lit. Si possible, utilisez des peaux de mouton, des protège-talons et des protège-coudes.
- Renseignez-vous auprès de votre infirmière en soins à domicile pour savoir s'il faudrait changer le matelas et en utiliser un qui réduise la pression.
- Demandez à la personne de s'asseoir dans son fauteuil chaque jour si possible.
- Soulevez plutôt que de tirer la personne quand on lui fait changer de position.
- Gardez les draps bien tirés pour éviter les plis.
- Gardez la tête de lit à plat ou élevée à un angle de 30 degrés pour qu'il y ait moins de pression à la base de la colonne vertébrale.
- Déplacez la personne au lit toutes les deux heures sur le côté gauche, sur le dos puis sur le côté droit. La retourner ainsi devrait être continué toutes les quatre heures tout au long de la nuit.
- Changez la literie immédiatement et nettoyez la peau si la personne a de l'urine ou des selles sur la peau.
- Encouragez la personne à manger des aliments à teneur élevée en protéines (voir Besoins en matière d'alimentation et de liquide(s), p. 51).

LES PROBLÈMES DE BOUCHE

LE MUGUET (CANDIDOSE ORALE)

Le muguet se produit souvent chez les gens qui ont une maladie avancée. Il aura plus tendance à se produire quand la personne aura pris des stéroïdes ou des antibiotiques et il est courant après la radiothérapie de la bouche.

Ce que vous devez savoir

Une infection au muguet est grave et nécessite une attention soigneuse.

- La personne chère pourrait se plaindre d'avoir mal à la bouche, mal à la gorge, la gorge sèche qui démange, la voix enrouée ou de la difficulté à avaler.
- En inspectant la bouche, vous verrez des plaques blanches sur la langue, le palais, à l'intérieur des joues et des lèvres et au fond de la gorge.

- On traite le muguet par le médicament nystatine (comme Mycostatin^MC, Nadostine^MC, Nilstat^MC, Nystex^MC). Ce médicament est un liquide que l'on fait circuler dans la bouche, comme un rince-bouche, puis on l'avale.
- Le médecin pourrait prescrire une crème comportant un médicament à frotter sur les gencives, sous les dentiers.
- Le muguet peut se propager à d'autres personnes. Évitez d'embrasser la personne sur les lèvres ou de partager des ustensiles si vous soupçonnez la présence de muguet.

Comment offrir des soins

Avant de donner chaque dose de médicament, il faut bien nettoyer la bouche (voir la section Soins de la bouche, p. 34, pour des conseils à ce sujet).

- Alertez immédiatement votre infirmière de soins à domicile si vous soupçonnez la présence de muguet.
- Utilisez une nouvelle brosse à dents avant le début du traitement et remplacez la brosse à dents quand tout le médicament sera terminé.
- Aidez la personne à bien se rincer la bouche à l'eau claire avant de prendre le médicament.
- Enlevez les dentiers avant de donner le médicament.
- Nettoyez bien les dentiers à chaque traitement. S'ils ne sont pas bien nettoyés, ils pourraient réinfecter la bouche.
- Faites tremper les dentiers chaque nuit dans une solution comportant une partie de vinaigre pour quatre parties d'eau.

LES PLAIES À LA BOUCHE

Les plaies à la bouche sont des petites coupures ou ulcères à la bouche. Elles peuvent être causées par la chimiothérapie, la radiothérapie, l'infection, le manque de liquides, la mauvaise hygiène de la bouche, l'oxygénothérapie, trop d'alcool ou de tabac et certains médicaments.

Ce qu'il faut savoir

Les plaies à la bouche peuvent être très douloureuses et interférer avec l'action de manger et boire.

- On peut voir les petits ulcères ou les petites plaies à la bouche, sur les gencives ou sur la langue
- Les plaies peuvent être rouges, saigner ou comporter au milieu des petites plaques blanches.
- L'intérieur de la bouche, les gencives et la langue pourraient avoir une apparence rouge, brillante ou enflée.

- Il pourrait y avoir du sang ou du pus dans la bouche.
- L'intérieur de la bouche pourrait être recouvert d'une couche blanche ou jaune.
- Les aliments mangés pourraient causer la sécheresse ou une légère sensation de brûlure.
- Il pourrait y avoir sensibilité au froid et au chaud.
- L'augmentation ou la diminution des mucosités dans la bouche pourrait être un problème.
- La personne pourrait avoir de la difficulté à avaler.
- Un mal de gorge ou une sensation de brûlure à la partie supérieure de la poitrine pourrait être un symptôme.
- Pour soulager la douleur, le médecin pourrait prescrire un produit comme Maalox^MC ou du Lait de magnésie^MC, avec ou sans xylocaïne, que l'on peut appliquer sur les plaies avec un écouvillon ou l'utiliser pour se gargariser la bouche.

Comment offrir des soins

Soigner la bouche aidera à diminuer l'inconfort grâce à des produits calmants. Il faudra veiller à donner des aliments et des boissons non irritants.

- Vérifiez la bouche deux fois par jour au moyen d'une petite lampe de poche et d'un abaisse-langue. Si la personne porte des dentiers, enlevez-les pour commencer.
- Signalez à votre infirmière de soins à domicile si la bouche de la personne a une apparence différente ou s'il y a un changement au niveau du goût ou des sensations.
- Effectuez les soins à la bouche 30 minutes avant de manger et toutes les deux heures pendant que la personne est réveillée.
- Utilisez l'une des solutions de rinçage suggérées après le nettoyage de la bouche (voir Sécheresse de la bouche, p. 83).
- Appliquez un lubrifiant soluble à l'eau comme Muco^MC ou K-Y Jelly^MC pour aider à dissiper l'irritation des lèvres.
- Encouragez la personne à boire au moins deux litres, soit huit tasses de liquides, chaque jour.
- Offrez-lui des petits repas fréquents, froids, non épicés, à saveur fade.
- Essayez de lui donner des aliments ou des boissons réfrigérés (popsicles, morceaux de glace, yogourt congelé, sorbet, crème glacée).
- Évitez les agrumes et les jus d'agrumes comme oranges, citrons, citrons verts et tomates. Bien que ceux-ci semblent humecter la bouche, ils ont un effet asséchant.

POINTS IMPORTANTS

- Il faut toujours utiliser une brosse à dents ultradouce. Une brosse à dents dure pourrait endommager le tissu fragile des gencives.
- Évitez les rince-bouche commerciaux contenant de l'alcool. Ils pourraient causer davantage de sécheresse et de douleur.
- N'utilisez pas de fil dentaire, car cela pourrait endommager le tissu des gencives.
- Encouragez la personne à éviter le tabac et l'alcool. Ces produits peuvent aggraver les plaies à la bouche.
- Si les plaies à la bouche sont graves, n'utilisez pas les dentiers, sauf pour manger.
- Évitez les aliments durs et de texture grossière, comme les craquelins, les légumes crus, les croustilles.
- **Demandez de l'aide si :**
  - *le muguet ou les plaies ne s'améliorent pas.*
  - *la personne a de la difficulté à boire ou à avaler.*
  - *l'apparence rouge et brillante de la bouche dure pendant plus de 48 heures.*
  - *la température de la personne dépasse le niveau normal.*

LA SÉCHERESSE DE LA BOUCHE

Une sécheresse de la bouche peut se produire quand la personne n'est pas en mesure de boire le volume habituel de liquides. Ceci se produit avec la nausée, les vomissements et le manque d'appétit. La réduction de l'ingestion des liquides entraîne une sécheresse au niveau de la salive. Certains médicaments et la respiration par la bouche peuvent aussi causer la sécheresse de la bouche.

Ce qu'il faut savoir

Avoir la bouche sèche peut être une source d'inconfort pour la personne.

- La personne pourrait se plaindre d'avoir la bouche sèche ou un mauvais goût dans la bouche.
- La langue de la personne pourrait être rouge et chargée, et les lèvres pourraient être sèches et craquelées.

Comment offrir de l'aide

Ce que vous pouvez faire de plus utile, c'est de garder la bouche de la personne chère propre et humide, pour l'aider à se sentir fraîche.

- Aidez la personne à se nettoyer la bouche souvent, surtout après avoir mangé et avant d'aller se coucher (voir Soins de la bouche, p. 34). L'une des solutions de rinçage suggérées dans cette section peut aider à humecter la bouche.
- Après le nettoyage, appliquez sur les lèvres de la personne un lubrifiant soluble à l'eau comme Muco^MC ou K-Y Jelly^MC.
- Placez un bol de morceaux de glace à côté du lit. Même si la personne ne veut pas boire, elle pourra sucer la glace pour humecter sa bouche.
- Essayez un produit humidifiant commercial comme Moistir^MC ou Oral Balance^MC.
- Enlevez les dentiers, appliquez un produit humidifiant sur les gencives, puis replacez les dentiers. Il ne faut pas utiliser de rince-bouche commerciaux contenant de l'alcool car cela aggrave le problème de sécheresse.

LES PROBLÈMES D'INTESTINS ET DE VESSIE

INCONTINENCE

L'incontinence, c'est le manque de contrôle sur les intestins ou la vessie.

Ce qu'il faut savoir

Pour certaines personnes, l'option de choix pour lutter contre l'incontinence de la vessie, c'est d'utiliser un cathéter (sonde) ou un cathéter condom.

- Un cathéter est un tube placé dans la vessie pour que l'urine puisse s'en échapper vers un sac spécialement conçu à cet effet.
- Pour les hommes, les cathéter condom sont placés sur le pénis et reliés à un sac collecteur.

POINTS IMPORTANTS

- **Demandez de l'aide si :**
  - *il y a une fuite autour de l'endroit où le cathéter entre dans le corps.*
  - *l'urine devient trouble et malodorante ou si la personne fait soudainement de la fièvre. Ceci pourrait indiquer une infection de la vessie.*
  - *il y a du sang dans l'urine.*
  - *la personne a la diarrhée.*

Comment offrir un réconfort et des soins

L'incontinence risque de provoquer la dégradation de la peau, qui peut être causée par la pression et le contact avec l'urine ou les selles. Pour cette raison, en plus du confort de la personne, il est important de garder sa peau propre et sèche.

- Envisagez des vêtements spéciaux pour l'incontinence (comme Stayfree^{MC}, DryPlus^{MC}, Attends^{MC}, Poise^{MC}, Ensure Guards^{MC}) disponibles dans les pharmacies et les supermarchés. Ceci aidera à garder le lit sec et il faudra les changer souvent. Votre infirmière de soins à domicile pourra vous donner des conseils à ce sujet. Vous pourriez obtenir une aide financière pour couvrir leur coût (voir Aide financière, p. 148).

- Utilisez des crèmes hydrofuges contenant de l'oxyde de zinc et de la silicone (comme Zincofax^{MC}, Penaten Cream^{MC}, A&D Cream^{MC}) en les appliquant selon les besoins pour aider à prévenir l'irritation de la peau. Un aérosol de silicone et d'oxyde de zinc (Silon^{MC}) est disponible et pourrait être plus facile à utiliser.

- Lavez la région où le cathéter entre dans le corps au moins une fois par jour avec du savon et de l'eau pour protéger la peau et prévenir l'infection.

- Lavez-vous les mains avant et après avoir manipulé le cathéter, le sac de drainage ou les vêtements pour incontinence.

- Vérifiez la tubulure de drainage pour vous assurer qu'il n'y a pas de nœud et veillez à ce que le sac de drainage soit au-dessous du niveau de la personne, pour que le drainage se fasse par pesanteur.

- Videz le sac de drainage au moins deux fois par jour.

LA CONSTIPATION

Quand la personne vide ses intestins, elle produit des selles. La constipation signifie la difficulté à aller à la selle. La constipation peut être causée par les problèmes suivants :

- ne pas assez boire.
- ne pas assez manger.
- ne pas consommer assez de fibres dans son alimentation.
- ne pas avoir assez d'exercice physique.
- ralentissement de l'activité intestinale dû à certains médicaments comme les opioïdes.
- certaines maladies

POINTS IMPORTANTS

- Surveillez les selles de la personne. S'il elle n'a pas été à la selle depuis deux jours, contactez l'infirmière de soins à domicile.
- Évitez les laxatifs comme le Metamucil^{MC}. Pour qu'il soit efficace, la personne doit boire trois litres de liquide par jour. Sinon, ces produits font empirer le problème.
- **Demandez de l'aide si :**
  - *il y a du sang à la région anale ou autour de celle-ci ou du sang dans les selles.*
  - *la personne n'est pas allée à la selle dans la journée suivant la prise d'un laxatif.*
  - *la personne présente des crampes et des vomissements persistants.*

Ce qu'il faut savoir

La constipation est inconfortable et pourrait causer des problèmes graves.

- Les selles pourraient être sèches et difficiles à éliminer.
- La personne pourrait avoir beaucoup de gaz, roter ou avoir la nausée.
- Elle pourrait avoir une douleur à l'abdomen.
- Parfois, il semble y avoir diarrhée. En fait, il s'agit de petites quantités de selles liquides s'échappant autour des selles dures.
- La personne pourrait avoir de petites selles dures, mais ne pas aller suffisamment à la selle pour corriger le problème de constipation.
- Des maux de tête et une confusion pourraient accompagner la constipation.
- L'abdomen de la personne pourrait sembler enflé ou ballonné.
- Le médecin pourrait prescrire un médicament pour amollir les selles ou un laxatif. Ces médicaments sont vendus sous la forme d'une pilule ou d'un suppositoire (voir Donner des médicaments en suppositoires, p. 64).
- Certaines personnes constipées ne réagissent pas aux médicaments ou aux changements d'alimentation. Elles pourraient avoir besoin d'un lavement.

Comment offrir un réconfort et des soins

Si vous observez les causes ci-dessus, vous pourrez être en mesure de prendre les mesures appropriées pour prévenir la constipation.

- Essayez d'augmenter graduellement l'ingestion de grains entiers sous forme de céréales et de pain.
- Augmentez la consommation de liquides jusqu'à au moins deux litres, soit huit à dix verres par jour.
- Offrez le matin à la personne chère une boisson chaude caféinée pour l'encourager à aller à la selle.
- Encouragez la personne à marcher, à faire de l'exercice ou à bouger dans le lit. Ceci pourrait aider à faire circuler les selles dans les intestins.
- Éviter les aliments qui causent la constipation comme le chocolat, le fromage et les œufs.
- Rappelez à la personne le besoin de prendre des médicaments amollissant les selles et les laxatifs prescrits, surtout si elle prend des opioïdes (voir Effets secondaires des opioïdes, p. 74).
- Offrez une variété de fruits (y compris des pruneaux), des légumes et des jus de fruit (inclure du jus de pruneaux une fois par jour). Le laxatif au fruits suivant pourrait encourager la personne à manger ou boire une variété de ces aliments ou boissons utiles.

Laxatif aux fruits (utilisez des fruits secs)

- 1/4 tasse de raisins de Corinthe
- 1/4 tasse de raisins secs
- 1/4 tasse de pruneaux
- 1/4 tasse de dates
- 1/4 tasse de figues
- jus de pruneaux

Placez les cinq premiers ingrédients dans un mélangeur. Ajoutez assez de jus de pruneaux pour que la consistance ressemble à de la confiture. Ce mélange peut être mangé seul ou utilisé comme confiture ou sauce sur une crème glacée.

La routine intestinale

Toute personne prenant des opioïdes pour soulager la douleur devrait prendre également un médicament pour amollir les selles et un laxatif. On suggère aussi à toute personne prenant des opioïdes de suivre une routine intestinale régulière. La routine intestinale doit être respectée chaque jour pour donner de bons résultats. La routine intestinale suivante est suggérée :

- 1 médicament pour amollir les selles, comme du docusate, chaque matin (comme Surfak[MC], Colace[MC]).
- 1 médicament pour amollir les selles chaque après-midi.
- 2 stimulants intestinaux (comme Senokot[MC]) à l'heure du coucher.
  - Quand la personne prend un médicament pour amollir les selles, elle doit boire beaucoup de liquides.
  - Les stimulants intestinaux augmentent l'activité des intestins et aident à créer des selles.
  - Tout ceci peut être acheté à la pharmacie et leur coût pourrait être couvert par un programme de médicaments (voir Aide financière, p. 148).

Les lavements

Le lavement consiste à injecter du liquide dans le rectum pour nettoyer l'intestin. Pour donner un petit lavement comme Fleet[MC], on suit la même routine que pour les suppositoires.

- Aidez la personne à adopter une position qui facilitera l'insertion du tube de lavement. La meilleure position, c'est couché sur le côté gauche, la jambe droite fléchie. (Il y aura un diagramme avec des instructions accompagnant le lavement.)
- Avertissez la personne que le lavement pourrait lui donner une sensation de pression et des crampes.
- Le tube sera déjà lubrifié.
- Insérez le tube délicatement dans le rectum et faites pression sur le contenant.
- Allez plus lentement, mais sans vous arrêter, si la personne présente un inconfort. Vous devrez utiliser le lavement tout entier ou la quantité que la personne pourra tolérer.

- Encouragez la personne à retenir le lavement aussi longtemps que possible avant de l'expulser.

LA DIARRHÉE

La diarrhée, c'est l'évacuation de selles molles ou liquides trois fois par jour ou plus. Il pourrait y avoir inconfort ou non. Les causes de la diarrhée incluent les infections, certains médicaments, les effets secondaires de la chimiothérapie, la radiothérapie à l'abdomen et parfois, la maladie elle-même.

Ce qu'il faut savoir

- La diarrhée peut affecter l'équilibre dans le corps des sels et de certains produits chimiques appelés électrolytes.
- Certains aliments peuvent faire empirer la diarrhée alors que d'autres peuvent aider à la ralentir.
- La déshydratation est toujours un risque dans les cas de diarrhée grave.
- La diarrhée pourrait être le passage de selles liquides entourant des selles dures et doit être traitée comme une constipation (voir p. 85). Renseignez-vous auprès de votre infirmière de soins à domicile concernant cette possibilité.

POINTS IMPORTANTS

- Les aliments qui pourraient stimuler ou irriter les voies digestives devraient être évités. Par exemple, les pains et céréales de grains entiers, les aliments frits ou gras, les noix, les fruits ou légumes crus, les pâtisseries grasses, les épices et les herbes à saveur forte, les aliments ou boissons caféinés, les boissons alcoolisées ou gazeuses, le tabac.
- Les aliments très chauds ou très froids peuvent déclencher la diarrhée.
- Évitez de donner des liquides clairs seulement pendant plus de deux jours d'affilée.
- **Demandez de l'aide si :**
  - *la personne a six ou plus selles molles pendant plus de deux jours d'affilée.*
  - *vous remarquez du sang à la région de l'anus ou autour ou s'il y a du sang dans les selles.*

Comment offrir un réconfort et des soins

Dans la mesure du possible, les aliments devraient être votre premier choix pour rétablir l'équilibre des liquides dans le corps.

- Choisissez des aliments à haute teneur en protéines, calories et potassium. Parlez à votre diététiste ou votre infirmière de soins à domicile concernant les aliments appropriés.
- Encouragez la personne à boire environ deux litres, soit huit à dix verres de liquide, chaque jour. Prendre de petites gorgées aidera les liquides à être mieux absorbés.

- Veillez à ce que l'eau ne soit pas le seul liquide bu. Servez une variété de boissons et de produits en gelée comme Jello^MC.
- Donnez de petits repas fréquents plutôt que trois gros repas.
- Lavez la région de l'anus avec du savon doux et séchez en tapotant après chaque selle.
- Appliquez un produit hydrofuge (Zincofax^MC, Penaten Cream^MC, A&D Cream^MC, Silon^MC) à la région de l'anus pour protéger la peau.
- Soyez calme quand la diarrhée se produit. Essayez de réduire l'anxiété et l'embarras de la personne face à la situation.
- Utilisez des serviettes protectrices sur le lit afin de diminuer la gêne de la personne et faciliter le nettoyage.
- Utilisez un désodorisant pour la pièce si l'odeur est un problème.

L'ESSOUFFLEMENT
(Dyspnée)

L'essoufflement, aussi appelé dyspnée, se produit quand le corps n'obtient pas suffisamment d'oxygène. Soit les poumons ne peuvent pas obtenir assez d'air, soit ils ne peuvent pas fournir assez d'oxygène à la circulation sanguine. L'essoufflement est causé par de nombreux problèmes différents, y compris la maladie, l'anxiété ou la pollution (y compris la fumée de tabac).

Ce qu'il faut savoir

L'essoufflement grave peut être effrayant, tant pour la personne elle-même que pour tous ceux qui l'observent. Si vous savez à quoi vous attendre, cela pourrait être moins bouleversant.

- La peau autour de la bouche et du lit des ongles pourrait devenir bleutée.

POINTS IMPORTANTS

- **Appelez à l'aide si :**
  - *la personne se plaint de douleurs à la poitrine.*
  - *la personne produit des mucosités épaisses, jaunes, vertes ou teintées de sang.*
  - *la personne ne peut pas bien respirer pendant trois minutes.*
  - *la peau est pâle ou bleue ou la personne est froide et moite au toucher.*
  - *il y a de la fièvre.*
  - *les ailes du nez battent pendant la respiration.*

- Il pourrait y avoir de grandes quantités de mucosités épaisses que la personne peut expulser ou non en toussant.
- La respiration pourrait sembler humide et gargouillante.
- La respiration pourrait être difficile quand la personne parle ou même quand elle se repose.
- Selon la cause de l'essoufflement, il pourrait y avoir un traitement possible.

Comment offrir un réconfort et des soins

La personne chère pourrait avoir moins de difficulté à respirer si son milieu est calme et si vous suivez certaines lignes directrices.

- Encouragez la présence tranquille d'un membre de la famille ou d'un ami pour aider à diminuer l'anxiété.
- Prévoyez de nombreuses périodes de repos entre les activités si l'essoufflement empire avec le mouvement, quand la personne est lavée, habillée ou quand elle parle.
- Demandez aux visiteurs de rester assis tranquillement pour qu'il n'y ait pas besoin de parler.
- Veillez à ce que le médicament prescrit pour l'essoufflement soit pris comme indiqué.
- Utilisez un humidificateur pour aider à déloger les mucosités, pour que la personne puisse tousser plus facilement.
- Ouvrez une fenêtre ou utilisez un ventilateur pour aider la personne à respirer.
- Retirez les vêtements ou la literie serrés et n'utilisez qu'une couverture légère.
- Aidez la personne à adopter une position qui lui facilite la respiration. Être couché sur le dos fait souvent empirer l'essoufflement. Généralement, être assis droit au lit est la meilleure solution. Vous pourrez effectuer ceci en plaçant plusieurs oreillers dans le dos de la personne. Une autre position utile, c'est d'être penché vers l'avant sur une table de lit ou une table haute, la tête reposant sur les bras croisés.
- Essayez de placer la personne chère sur un fauteuil à bascule pour y dormir, car le corps sera en position semi-droite.
- Faites tout ce que vous pouvez pour aider la personne à rester relaxée, car la tension musculaire aggravera l'essoufflement.

OXYGÉNOTHÉRAPIE

Ce qu'il faut savoir

Parfois, le médecin recommande une oxygénothérapie pour soulager l'essoufflement.

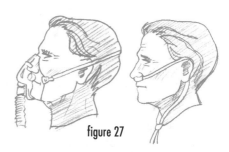

figure 27

- L'oxygène est administré soit par masque facial, soit par canule nasale (un petit tube de plastique jetable qui pénètre dans la narine de la personne (voir figure 27).
- Le masque est fait de plastique et il est jetable. On le place bien sur le nez et la bouche et on le relie à l'oxygène.

Comment offrir un réconfort et des soins

Un masque ou une canule doit être bien entretenu pour être aussi confortable que possible.

- Enlevez le masque et nettoyez-le selon les besoins.
- Placez quelque chose comme des petites boules d'ouate ou de moleskine entre la tubulure et la peau pour diminuer l'irritation.
- Ajustez l'élastique du masque pour qu'il soit bien fixé sur le visage de la personne.
- La tubulure de la canule nasale doit être placée dans le nez de la personne.
- L'oxygène peut assécher l'intérieur du nez. Une préparation soluble à l'eau en vente libre peut aider à résoudre ce problème. Une préparation conçue pour ce problème, c'est le Secaris^MC.

POINTS IMPORTANTS

- L'oxygène peut causer un incendie.
  - *Il ne faut pas fumer ou utiliser des allumettes dans une pièce où on utilise de l'oxygène.*
  - *Il ne faut pas utiliser l'oxygène près d'une cuisinière à gaz.*
  - *Il ne faut pas utiliser des produits à base de pétrole, comme la Vaseline^MC ou de l'huile minérale près de l'oxygène.*
- N'utilisez l'oxygène que comme recommandé par le médecin. Le médecin pourrait l'avoir prescrit soit 24 heures sur 24, soit seulement de temps à autre.
- L'oxygène est surtout nécessaire pendant l'activité, comme entrer ou sortir de la baignoire, quand la personne sort, quand elle marche.
- Veillez à ce avoir suffisamment d'oxygène disponible pour 24 heures, particulièrement la fin de semaine.
- Suivez les instructions du fournisseur pour veiller à ce que l'équipement fonctionne bien.
- Connaissez le numéro de téléphone du fournisseur pour pouvoir l'appeler en cas de problème.

LA NAUSÉE ET LES VOMISSEMENTS

La nausée signifie que la personne a mal au cœur et les vomissements signifient qu'elle vomit. La nausée peut se produire même quand une personne ne pense pas à la nourriture. Les vomissements peuvent se produire même si la personne n'a pas mangé ou si elle n'a pas la nausée.

La nausée et les vomissements peuvent avoir de nombreuses causes différentes. On pense en particulier à la maladie, aux médicaments, à l'irritation du système digestif, à certains aliments, à la constipation et au mouvement. Parfois, la raison n'a rien à voir avec la maladie terminale et il s'agit tout simplement d'une grippe.

Ce qu'il faut savoir

Tout le monde a fait l'expérience à un moment ou à un autre de la nausée et des vomissements. La différence, pour une personne aux prises avec une maladie terminale, pourrait être la fréquence et l'intensité de la nausée, rendue plus grave par la faiblesse qui accompagne la maladie.

- La personne pourrait avoir mal au cœur et être incapable de manger.
- Les vomissements pourraient être occasionnels ou se produire souvent.

POINTS IMPORTANTS

- Positionnez la personne alitée et qui vomit sur le côté, pour qu'elle ne puisse pas inhaler ses vomissures et s'étouffer.
- Notez à quelle fréquence et en quelle quantité la personne vomit.
- Les médicaments utilisés pour traiter le mal des voyages (comme Gravol^MC) rendent la personne somnolente et ne sont pas recommandés.
- **Demandez de l'aide si :**
  - *des vomissements se produisent plus de trois fois par heure pendant trois heures ou plus.*
  - *du sang ou une substance ressemblant à du marc de café apparaît dans les vomissures.*
  - *la personne n'est pas capable de prendre plus de quatre tasses de liquide ou de morceaux de glace par jour ou n'est pas capable de manger des solides pendant deux jours d'affilée.*
  - *la personne vomit les médicaments.*
  - *la personne se sent encore plus faible et étourdie que d'habitude.*
  - *la personne perd conscience.*

- Les médicaments pris par la bouche pourraient être vomis.
- La personne pourrait se sentir confortable au repos, mais avoir la nausée quand elle se déplace.

Comment vous pouvez offrir un réconfort et des soins

Le réconfort que vous pouvez offrir vise principalement la réduction de l'un des facteurs qui déclenchent la nausée et les vomissements et l'administration de médicaments pour les soulager.

- Donnez surtout à la personne des aliments favoris, en petites quantités.
- Essayez d'offrir souvent de petites quantités de nourriture.
- Encouragez la personne à prendre régulièrement le médicament contre la nausée.
- Renseignez-vous auprès de votre infirmière en soins à domicile concernant d'autres manières dont les médicaments peuvent être donnés, comme par un suppositoire ou par un timbre appliqué sur la peau.
- Rafraîchissez la bouche avec un rince-bouche ne contenant pas d'alcool ou de club soda.
- Enlevez immédiatement le haricot ou le bol contenant les vomissures. Gardez un contenant propre à portée de la main.
- Ouvrez les fenêtres ou utilisez un ventilateur pour voir si de l'air frais aidera à réduire la nausée.
- Essayez de donner des aliments froids parce qu'ils sentent moins fort.
- Ayez à portée de la main des liquides clairs, des morceaux de glace, des glaçons de jus de fruit et du ginger ale à offrir en petites quantités.
- L'odeur de la cuisine peut augmenter la nausée et protégez donc la personne malade de ces odeurs.
- N'offrez pas d'aliments gras ou épicés. Donnez plutôt des aliments fades comme des craquelins, des rôties, du gâteau des anges), des fruits mous et du yogourt.
- Aidez la personne à se reposer en position assise pendant une heure après les repas.
- Encouragez toute personne s'approchant du malade d'éviter les parfums, les lotions après rasage et les désodorisants à odeur forte.
- Renseignez-vous auprès de votre médecin, de votre infirmière en soins à domicile ou de votre pharmacien si vous pensez que certaines suggestions de soins complémentaires, comme remèdes par les herbes, pourraient être utiles (voir Remèdes par les herbes, p. 106).

DIFFICULTÉ À DORMIR (Insomnie)

L'insomnie signifie l'incapacité de bien dormir aux moments où on pourrait s'attendre à dormir. Cela pourrait aller d'un mauvais sommeil à rester entièrement éveillé.

Ce à quoi vous pouvez vous attendre

À un moment ou à un autre, la plupart des gens qui sont proches de la mort ont de la difficulté à s'endormir ou à rester endormis.

- L'insomnie peut être causée par l'anxiété, la crainte, la tristesse ou autres inquiétudes psychologiques ou spirituelles.

POINTS IMPORTANTS

- Il faut tenir compte de la douleur de la personne, de sa nausée ou de sa toux. Donnez-lui les médicaments prescrits.
- Demandez de l'aide si :
  - *la personne devient confuse la nuit.*
  - *vous ne dormez pas et avez besoin d'une relève.*

- Des problèmes physiques comme la douleur, la nausée, les vomissements et la toux peuvent causer une insomnie.

Comment offrir un réconfort et des soins

Une personne atteinte d'une maladie terminale pourrait dormir beaucoup pendant la journée. Puis, à l'heure normale du sommeil, l'insomnie pourrait sembler être un problème.

- Permettez à la personne de dormir à n'importe quel moment, autant qu'elle en aura besoin, sans adhérer à un horaire.
- Fournissez-lui avant de s'endormir des boissons chaudes sans caféine comme du lait chaud avec du miel.
- Passez des moments tranquilles avec la personne à l'écouter et à parler. L'occasion d'exprimer ses sentiments aidera beaucoup à soulager les problèmes émotionnels de la personne.
- Efforcez-vous d'assurer le confort de la personne. Parfois, quand on est allongé sur le lit à côté de la personne, le contact étroit lui fournit un réconfort.
- Donnez-lui un massage du dos ou des pieds pour l'aider à se relaxer.
- Gardez les draps propres, bien bordés et aussi lisses que possible.
- Assurez-vous que l'endroit où la personne veut dormir n'est pas bruyant.

L'ENFLURE (Œdème)

L'œdème est la présence de liquide supplémentaire dans les tissus ou à l'abdomen. Il peut se produire si le corps retient du sel ou de l'eau ou si la personne est mal nourrie. Aussi, trop peu de protéines dans le corps, des tumeurs ou une obstruction dans les veines ou le système lymphatique peuvent causer un œdème. À moins que l'enflure ne soit reliée à un problème cardiaque, des diurétiques ne seront pas efficaces pour éliminer le liquide supplémentaire.

Ce à quoi vous pouvez vous attendre

Quand du liquide s'accumule dans l'abdomen ou ailleurs, des changements facilement observables se présentent.

- Les pieds et le bas des jambes de la personne enflent quand elle est assise, debout ou qu'elle marche.
- Les bagues deviennent trop petites pour les doigts.
- La personne se plaint que sa main est serrée quand elle fait un poing.
- L'abdomen semble distendu ou enflé ou encore, la personne se plaint que ses pantalons sont trop étroits.

Comment offrir un réconfort et des soins

Tout ce que vous pouvez faire pour réduire l'œdème vise à prévenir l'accumulation des liquides aux membres.

- Encouragez le repos au lit, les pieds de la personne étant surélevés au moyen de deux oreillers.
- Quand la personne est assise sur son fauteuil, gardez ses pieds surélevés sur un tabouret, sur un oreiller. Si les bras sont enflés, gardez-les élevés en les plaçant sur une table, au-dessus d'un oreiller.
- Massez les régions enflées pour aider l'absorption du liquide.

> **POINTS IMPORTANTS**
>
> - **Demandez de l'aide si :**
>   - *vous pressez votre doigt sur la région enflée et que le doigt laisse une marque.*
>   - *l'enflure s'étend aux bras et aux jambes*
>   - *l'enflure du ventre cause un essoufflement à la personne*

LA PERTE DE LA FORCE

La perte de la force peut résulter de l'évolution de la maladie ou peut être provoquée par l'affaiblissement des muscles dû à un alitement prolongé. Cela se produit généralement graduellement mais parfois apparaît en quelques jours.

Ce à quoi vous pouvez vous attendre

Une personne qui a toujours été active et autonome aura probablement de la difficulté à s'adapter aux limites physiques imposées par la maladie. Si vous comprenez dans quelle mesure la faiblesse affecte son corps, vous pourrez prévoir vos soins en en tenant compte.

- La fatigue est courante après des activités qui auparavant étaient faciles.
- La personne pourrait avoir besoin d'aide pour marcher, prendre son bain ou s'habiller, ou pourrait avoir besoin qu'on la soigne au lit.
- Il pourrait être difficile pour la personne de se lever du lit et se déplacer d'un endroit à l'autre.
- La frustration reliée aux limites physiques pourrait rendre la personne irritable dans des situations qui normalement ne provoqueraient pas de problèmes.

Comment offrir un réconfort et des soins

Vos soins viseront à aider la personne chère à utiliser le mieux possible son énergie lors des activités.

- Demandez à un membre de l'équipe de santé de vous enseigner des techniques pour aider une personne à se déplacer plus facilement.
- Rassurez la personne en lui disant que vous êtes heureux de pouvoir l'aider. Une personne qui perd ses forces devient souvent bouleversée en comprenant qu'elle perd son autonomie.
- Placez une cloche, une cuillère et une assiette en métal ou quelque chose qui pourra être utilisé pour faire du bruit, pour qu'elle puisse vous appeler quand elle en aura besoin. Les moniteurs pour bébé donnent aussi de bons résultats.
- Rappelez à la personne qu'elle doit limiter ses activités et se reposer avant de faire quelque chose de fatiguant.
- Renseignez-vous auprès d'un membre de votre équipe de santé concernant la possibilité d'obtenir un déambulateur ou un fauteuil roulant pour rendre les déplacements de la personne à la maison plus sécuritaires et plus faciles. Vous pouvez acheter ou louer cet équipement ou vous pourriez trouver un numéro pour le contact à l'annexe VII sur l'endroit où vous adresser pour en obtenir dans votre province.

LA CONFUSION

La personne qui a de la difficulté à penser et à agir de manière appropriée ou dont le processus de pensée est affecté est décrite comme étant confuse. Une personne gravement malade pourrait être confuse à cause de la maladie, d'une infection, de l'effet secondaire des médicaments ou d'un manque de liquides. Avertissez votre infirmière de soins à domicile si vous observez que la personne commence à être confuse. Il y a souvent quelque chose que l'on peut faire pour l'aider.

Ce que vous devrez savoir

La confusion accompagne souvent la maladie physique. Si vous comprenez comment se comporte la personne confuse, vous serez moins anxieux quand vous constaterez des comportements inhabituels.

- La confusion peut commencer très lentement.
- Il pourrait y avoir mauvaise concentration, perte de mémoire et de l'intérêt.
- Le processus de prise de décision pourrait être difficile à cause de la mauvaise concentration.
- Parfois, il y a un sens de perte de contact avec la réalité ou l'impression de devenir fou.
- Les émotions peuvent présenter une fluctuation entre le déni et l'acceptation de la situation.
- La personne confuse pourrait devenir agitée et errer. Il pourrait sembler y avoir douleur.
- La personne pourrait voir ou entendre des choses qui n'existent pas (hallucinations), particulièrement la nuit.
- Des pensées étranges pourraient déranger la personne.
- La crainte et la colère pourraient être présentes sans raison apparente.
- Les mouvements pourraient être ralentis.
- Si la confusion devient si grave que la personne ne peut plus prendre de décision, vous devrez assumer la responsabilité juridique de ses affaires (voir Affaires juridiques, annexe II, p. 152).

Comment offrir un réconfort et des soins

Comme la personne confuse pourrait facilement se blesser, une supervision et de l'aide sont nécessaires.

- Rappelez à la personne qui vous êtes si cela semble nécessaire.
- Touchez la personne pendant les conversations pour lui rappeler que vous êtes là. Faites face à la personne et placez-vous à quelques pieds de la personne quand vous lui parlez.

- Fermez la radio et la télévision quand vous parlez. Ne les faites jamais marcher ensemble ou à un volume fort.
- Parlez lentement, en faisant des phrases courtes.
- Gardez à portée de la main un calendrier et une pendule et rappelez-lui souvent la date et l'heure.
- Gardez la chambre bien éclairée.
- Ne donnes pas de médicaments ou de soins sans expliquer ce que vous faites.
- Ne laissez pas la personne seule pendant de longues périodes.
- Utilisez les ridelles pour réduire le risque que la personne tombe de son lit.

POINTS IMPORTANTS

- **Demandez de l'aide si :**
  - *la confusion se produit très soudainement ou s'aggrave.*
  - *la personne devient violente ou très agitée.*
  - *vous êtes blessé ou la personne est blessée à cause de la confusion.*
  - *vous êtes fatigué et avez besoin d'une relève.*

LES SOINS COMPLÉMENTAIRES

Le mot complémentaire suggère que des techniques sont utilisées en plus de la médecine conventionnelle. Les techniques décrites ici sont celles que vous pourriez utiliser à la maison pour aider la personne chère à se sentir plus confortable. Elles ne visent pas à se substituer à des soins médicaux et vous ne devrez jamais les utiliser sans en parler tout d'abord à un membre de votre équipe de santé. Il existe d'autres types de soins complémentaires disponibles et vous voudrez peut-être les explorer. Votre infirmière de soins à domicile pourra en discuter avec vous.

LES TECHNIQUES DE RELAXATION

Comme l'objectif principal des aides à la relaxation est de faire oublier à la personne chère son inconfort et sa maladie, pour l'aider à fixer son attention sur une activité, tout ce que vous pouvez faire pour lui fournir des distractions sera utile. Mais il ne faut **jamais** utiliser des techniques de relaxation comme substitut aux médicaments pour soulager la douleur.

Comment offrir un réconfort

Les techniques de relaxation sont une tentative consciente de relaxer tous les muscles. Elles sont plus structurées qu'on ne le comprend généralement quand on pense à la relaxation. Toutes les techniques de relaxation commencent de la même manière.

- Choisissez une pièce sans bruit.
- Essayez d'éviter les interruptions pendant l'activité choisie. Placez une pancarte « Ne pas déranger » à la porte au besoin.
- Choisissez un moment opportun comme par exemple :
  - avant que la douleur ou l'inconfort soit grave.
  - quand la personne se sent préoccupée ou nerveuse.
  - au même moment chaque jour.
- Demandez-lui s'il y a de la musique qui l'aiderait à se relaxer.
- Aidez la personne à s'installer dans une position confortable, les bras et les jambes relaxés.
- Faites commencer l'activité à la personne en lui demandant de respirer profondément par le nez et de laisser son souffle sortir par la bouche, comme si elle sifflait. Ceci devrait être fait trois fois. N'encouragez pas une personne ayant des problèmes de respiration à faire des exercices de respiration profonde.
- Encouragez la personne à garder les yeux fermés et à concentrer son attention sur ses sensations.
- Demandez à la personne de penser à un endroit calme, paisible et d'imaginer son corps comme étant très léger, flottant dans l'air ou tiède, au soleil.
- Demandez à la personne de vous parler de sa réaction à l'activité par la suite pour que vous sachiez ce qui fonctionne et ce qui ne fonctionne pas.

L'imagerie

La relaxation par l'imagerie, c'est l'utilisation de l'imagination pour aider quelqu'un à se relaxer. C'est une façon de s'imaginer quelque chose pour oublier l'inconfort.

Ce qu'il faut faire

- Rappeler à la personne de se préparer à la technique de relaxation.
- Fournir des idées de visualisation pour le soulagement de la douleur. Par exemple :
  - visualiser la douleur comme un gros rocher qui fait partie du corps, puis une grande montgolfière est reliée au rocher, soulève le rocher, ainsi que la douleur.

- visualiser la douleur comme un orage avec de la pluie qui tombe sur le corps, puis une douce brise écarte l'orage et la douleur.
- évoquer un endroit spécial où est allée la personne pour qu'elle puisse créer sa propre imagerie.
- aider la personne à faire cet exercice de relaxation par imagerie 20 minutes par jour.

Relaxation par la respiration

La relaxation par la respiration est une technique de respiration d'une manière contrôlée, pour relaxer les muscles tendus et faire oublier à la personne son inconfort.

Ce dont vous aurez besoin
- Lecteur de cassettes, avec ou sans écouteurs.
- Cassettes de relaxation pour aider la personne à se relaxer par la respiration.

Ce qu'il faut faire
- Rappelez à la personne de se préparer à la technique de relaxation.
- Axez l'exercice sur la cassette de relaxation.
- Les exercices de respiration sont faits en rotation.
  - Inspirez profondément par le nez tout en tendant un muscle ou un groupe de muscles. Par exemple, serrez le poing ou serrez les dents.
  - Retenez votre souffle et tendez les muscles pendant une ou deux secondes.
  - Relaxez les muscles et laissez sortir votre souffle lentement.
  - Tendez les muscles du bas de la jambe droite tout en inspirant profondément.
  - Relaxez les muscles du bas de la jambe droite tout en expirant lentement.
  - Répétez pour le bas de la jambe gauche, puis passez d'une partie à l'autre du corps. Chaque fois, tendez les muscles en inspirant et relaxez-les en expirant lentement.
- Encouragez la personne à faire ses exercices au moins 20 minutes par jour.
- Évitez les cassettes de relaxation qui pourraient lui provoquer des pensées préoccupantes.
- Demandez à la personne qui a du mal à respirer de se relaxer pendant une minute ou deux avant de faire l'exercice au lieu de faire des exercices de respiration profonde.

MASSAGE PAR VIBRATION

Le massage par vibration est un massage à l'aide d'un dispositif électrique. Cela aide à engourdir la région douloureuse et aide à relaxer les muscles.

Ce dont vous aurez besoin

- Un massageur électrique.

Ce que vous ferez

- Choisissez la région du corps douloureuse.
- Enlevez les vêtements à cet endroit.
- Recouvrez les régions du corps où vous ne ferez pas le massage, pour tenir la personne au chaud et assurer son intimité.
- Trouvez une position qui sera confortable pour vous deux.
- Massez la région au-dessus et au-dessous de la douleur si la région douloureuse elle-même est trop sensible au toucher.
- Essayez d'utiliser le massageur de l'autre côté du corps, du côté opposé à la douleur. Par exemple, si la hanche droite est douloureuse, essayez de masser la hanche gauche.
- Ne pas faire de massage vigoureux sur la région d'une tumeur.
- Appliquez le massageur pendant 25 à 45 minutes, deux fois par jour.
- Mettre le massageur en route et le fermer toutes les quelques secondes pendant 25 à 45 minutes si ceci est plus confortable.
- Suivre les instructions concernant le massageur électrique pour éviter les chocs électriques.

LES DISTRACTIONS

Toute technique aidant la personne à se distraire et oublier son inconfort immédiat peut être utile. Commencez par préparer les lieux comme pour toutes les techniques de relaxation.

Musique

La musique a le pouvoir d'absorber les gens si complètement qu'ils oublient tout pendant un certain moment. Avec un casque d'écoute pour éliminer les autres bruits, la distraction peut être encore plus complète.

Ce dont vous aurez besoin

- Une radio, un lecteur de cassettes ou un lecteur de CD (avec ou sans écouteurs).
- Des CD ou cassettes de la musique qu'aime la personne.

Ce que vous devrez faire

- Aidez la personne à choisir une musique qui lui plaît.
- Encouragez-la à chanter la musique ou à garder le rythme en tapant des mains ou des pieds en mesure.
- Fournissez à la personne une distraction par la musique plusieurs fois par jour.

L'humour

Le rire peut égayer une personne et même soulager la douleur. La distraction par l'humour aide la personne chère à faire porter son attention sur autre chose que son inconfort.

Ce dont vous aurez besoin

- Un lecteur de cassettes
- Des cassettes audio ou vidéo de comédies
- Un magnétophone
- Une télévision
- Une radio

Ce que vous devrez faire

- Renseignez-vous pour savoir quel type d'humour plaira à la personne : peut-être une comédie britannique ou un autre type d'humour.
- Aidez à choisir une cassette audio ou vidéo de comédie.

LE RÉCONFORT GRÂCE AUX TRAITEMENTS PAR LE FROID

Le froid appliqué au corps présente de nombreux avantages. Il réduit les spasmes musculaires, engourdit les terminaisons nerveuses, réduit l'enflure et soulage les démangeaisons.

- Les compresses froides laissées à un endroit plutôt qu'utilisées pour masser une région devraient être enveloppées d'un linge.
- Appliquez la compresse froide pendant au moins 10 à 15 minutes. On peut la laisser pendant une période pouvant aller jusqu'à 30 minutes.
- Faites ceci trois à quatre fois par jour.
- Alternez le froid et le chaud si cela fournit un réconfort.
- Essayez de faire des massages et d'appliquer des onguents à la chaleur comme Ben Gay^MC, Rub A.535^MC, Tiger Balm^MC à la région douloureuse avant d'utiliser un traitement au froid glacé.

- Il ne faut pas utiliser une crème à massage froid comme Icy Cold^MC en même temps qu'un autre traitement par le froid.
- Vérifiez l'action des crèmes et des onguents en les utilisant à la face interne de votre bras tout d'abord pour vous assurer qu'ils n'irritent pas la peau. S'il n'y a pas de rougeur ou de démangeaison après quelques minutes, utilisez-les sur la région douloureuse.
- Lavez-vous les mains après avoir appliqué des crèmes. Veillez à ne pas introduire de crème dans la région des yeux.

Les sacs de glace

Ce sont des sacs utilisés pour appliquer du froid à une région douloureuse.

Ce dont vous aurez besoin

- Le sac de glace peut être l'un des suivants :
  - sac de glace commercial
  - sac Ziploc^MC rempli de glace concassée ou en petits morceaux
  - sac contenant des petits morceaux d'aliments congelés comme : maïs, petits pois ou maïs à souffler.
- Une serviette ou une taie d'oreiller
- Un massage par la chaleur (optionnel)

Ce que vous pouvez faire

- Éliminez tout l'air du sac si vous utilisez un sac Ziploc^MC rempli de glace.
- Frappez un sac de légumes congelés sur le comptoir de la cuisine pour le rendre plus malléable.
- Placez le sac de glace dans une serviette ou une taie d'oreiller. Si la personne désire que la compresse soit plus froide, mouillez ce qui recouvre la glace.
- Placez le sac de glace sur la région douloureuse. Si ceci entraîne davantage de douleur, placez le sac de glace au-dessus ou au-dessous de la région concernée.
- Recongelez le sac de légumes après utilisation, en vous assurant d'indiquer sur le paquet que vous l'utilisez pour les besoins de la personne chère et de ne pas les manger.

Linges froids

Les linges froids sont tout simplement appliqués à une région douloureuse.

Ce dont vous aurez besoin
- Deux serviettes
- De la glace
- Un bol
- Un massage par la chaleur (optionnel)

Ce que vous pourrez faire
- Remplissez le bol de deux pouces d'eau.
- Ajoutez de la glace à l'eau.
- Faites tremper les serviettes dans l'eau glacée.
- Tordez la serviette pour en faire échapper l'eau et placez-la sur la région douloureuse.
- Quand la serviette devient chaude, replacez-la dans l'eau glacée et répétez ceci avec la deuxième serviette.

Massage par le froid ou avec de la glace

Cela consiste à masser de la glace ou un liquide froid dans la région douloureuse.

Ce dont vous aurez besoin
- Glace
- Serviettes et débarbouillettes
- Sac en plastique ou sac à ordures
- Tasse en papier

Ce que vous pourrez faire
- Remplissez à moitié d'eau une tasse en papier.
- Placez la tasse au congélateur jusqu'à ce que l'eau soit congelée.
- Pelez la tasse pour faire émerger la glace.
- Recouvrez le sac en plastique de la serviette et placez-le sous la région à masser, pour éponger l'eau qui fond.
- Enveloppez la tasse en papier d'une débarbouillette pour que vos mains ne se gèlent pas.
- Frottez la glace en faisant des cercles sur la région douloureuse.
- Séchez la peau avec la serviette alors que la glace fondra.
- Massez la région pendant environ quatre minutes. Il est normal que la région rougisse.

LE RÉCONFORT AU MOYEN DES TRAITEMENTS PAR LA CHALEUR

La chaleur peut être calmante et a également un effet bénéfique puisqu'elle permet de relaxer les muscles tendus. Il faut se rappeler deux choses importantes.

- Utilisez avec prudence quand vous employez aussi des coussinets chauffants électriques. Ils ne se ferment pas et pourraient causer des brûlures.
- Il ne faut pas utiliser de massage à la chaleur quand on utilise des traitements à la chaleur.

Les bouillottes
La plupart des familles ont une bouillotte (bouteille d'eau chaude) que l'on peut utiliser aisément.

Ce qu'il faut faire
- Remplissez la bouteille d'eau du robinet d'eau chaude. Ne pas utiliser d'eau bouillante car il pourrait être difficile de juger de la température de la bouillotte.
- Après avoir placé le bouchon, secouez doucement la bouillotte pour vous assurer qu'elle ne fuit pas.
- Recouvrez la bouillotte d'une serviette ou d'un linge pour qu'il n'y ait pas de contact direct avec la peau.
- Placez-la contre la région où la personne a mal.

Les sacs chauffants au micro-ondes
Ce sont des sacs qui peuvent être réchauffés au micro-ondes et sont placés sur la région pour la réchauffer.

Ce dont vous aurez besoin
- Un four à micro-ondes
- Un sac de graines de lin ou sachet froid commercial
- Flanelle ou serviette

POINTS IMPORTANTS

Il y a certains points dont il faut se souvenir quand on utilise des traitements par le chaud ou par le froid.

- Il ne faut pas faire de massage, chaud ou froid, sur la peau qui :
  - *reçoit une radiothérapie.*
  - *est ouverte ou a des plaies.*
  - *présente, selon ce que l'on vous a dit, une mauvaise circulation sanguine.*
  - *saigne ou a des bleus.*
- Il ne faut pas faire de massage, appliquer de la chaleur ou du froid si cela augmente la douleur.
- Il ne faut pas utiliser de chaleur ou de froid sur une région où la personne n'a pas de sensations.

Ce que vous pourrez faire

- Placez le sac dans le four à micro-ondes et réchauffez-le à chaleur élevée pendant deux minutes.
- Enveloppez le sac ou le sachet dans la flanelle ou la serviette. Il ne faut pas utiliser de compresse chaude sans qu'elle soit recouverte.
- Placez le sac sur la région douloureuse.
- Si ceci cause de la douleur, vous pouvez placer le sac ou le sachet :
  - au-dessus ou au-dessous de la région douloureuse.
  - du côté opposé du corps. Par exemple, si la jambe droite est douloureuse, placez le sac sur la jambe gauche.
- Recouvrez la région de couvertures pour la garder au chaud.

LES REMÈDES PAR LES PLANTES

Vous et la personne chère pourriez vouloir envisager un remède par les plantes pour lutter contre l'effet de la maladie terminale. Il y a cependant plusieurs choses dont vous devrez vous souvenir.

- Les plantes sont utilisées depuis des siècles pour traiter et prévenir la maladie. Certaines ont des effets bénéfiques sur la santé, mais elles pourraient ne pas être appropriées en ce moment.
- Beaucoup de gens pensent que comme les plantes sont naturelles, elles ne peuvent pas faire de mal. Ceci n'est pas du tout vrai. Les plantes sont des médicaments sous forme naturelle et elles ont la même possibilité de causer des effets secondaires que les autres médicaments.
- Les plantes peuvent interagir avec certains médicaments sur ordonnance. Il est important de signaler à votre infirmière de soins à domicile, votre médecin ou votre pharmacien si la personne que vous soignez utilise des produits par les plantes et renseignez-vous au sujet de tout produit dont vous n'êtes pas sûr.
- Veillez à ce que toutes les plantes utilisées soient des produits de qualité. La plupart des produits de qualité ont été testés pour veiller à ce qu'ils contiennent un certain pourcentage de l'ingrédient clé. Aussi, les produits de qualité pourraient avoir un numéro d'identification du médicament (DIN). Le produit pourrait avoir une date d'expiration et un numéro de lot.
- Évitez tout produit dont vous n'êtes pas sûr.

Les complications qui pourraient se présenter

Vous devriez passer en revue cette section avec votre médecin ou avec l'infirmière de soins à domicile. Pour certains lecteurs, les complications décrites pourraient être bouleversantes. Il est important de comprendre qu'elles ne se produiront pas forcément dans tous les cas. Si l'une ou plusieurs de ces complications sont être présentées par la personne chère, votre médecin ou l'infirmière de soins à domicile vous le signalera. Ces informations sont incluses pour vous aider à être prêt à fournir les soins nécessaires si et quand il le faut.

LES COMPLICATIONS POUVANT ACCOMPAGNER LES MÉDICAMENTS POUR LA DOULEUR (Toxicité des opioïdes)

Tous les aliments, l'eau et les médicaments que l'on ingère sont soit utilisés, soit éliminés. Le foie se charge de dégrader les différentes composantes et les poumons, les intestins et les reins éliminent les déchets. Une personne qui prend de fortes doses de médicaments opioïdes pour la douleur ou en prend pendant longtemps, ou une personne qui a des problèmes de reins pourrait voir les déchets résultant du médicament s'accumuler dans le corps. Ceci est appelé toxicité des opioïdes.

Ce qu'il faut savoir

La personne présentant une toxicité des opioïdes a un comportement très changé. Il y a certains signes que vous devriez connaître si la personne chère utilise des opioïdes pour soulager sa douleur.

- Un delirium ou une confusion pourrait se présenter sous la forme suivante :
  - ◆ agitation
  - ◆ cauchemars
  - ◆ diminution du niveau de conscience, somnolence
  - ◆ confusion concernant l'heure et le lieu
  - ◆ hallucinations (voir, sentir ou entendre des choses qui n'existent pas)
  - ◆ gémissements et discours désorganisé
  - ◆ concentration réduite
  - ◆ agitation
  - ◆ difficulté de mémoire à court terme
  - ◆ sommeil pendant la journée et éveil pendant la nuit
  - ◆ sursauts ou mouvements convulsifs des muscles, des membres ou du visage
  - ◆ crises convulsives
  - ◆ douleur quand on touche la personne d'une manière qui normalement ne devrait pas causer de douleur

- Si vous remarquez l'un de ces changements, signalez-le à votre infirmière de soins à domicile.
- Un membre de votre équipe de santé pourrait poser des questions à la personne pour vérifier sa mémoire et s'assurer qu'elle le reconnaît, pour que l'on puisse dépister tôt tout signe de complication.

Comment offrir des soins

Prévention

- La personne ne doit pas devenir déshydratée pour que les reins puissent continuer d'éliminer les déchets. Soit la personne doit boire beaucoup de liquide, soit on pourrait envisager une hypodermoclyse (voir Hypodermoclyse, p. 59).
- Le médecin pourrait changer d'opioïdes. Les différents opioïdes produisent des déchets différents. En passant de l'un à l'autre, le corps peut continuer d'éliminer les déchets.
- Si les reins ne fonctionnent pas bien, le médecin pourrait diminuer la dose d'opioïdes.

Traitement

- Le médecin pourrait prescrire un médicament pour maîtriser les hallucinations, les cauchemars ou l'agitation jusqu'à ce que le corps élimine les déchets.

POINTS IMPORTANTS

- **Demandez de l'aide si :**
  - *vous observez l'un des signes de la toxicité des opioïdes.*

LA COMPRESSION DE LA MOELLE ÉPINIÈRE

La compression de la moelle épinière signifie qu'une pression est exercée sur la moelle épinière. Elle est généralement causée par la pression de la tumeur sur la moelle épinière. Si ceci n'est pas traité, la personne peut devenir paralysée.

Ce qu'il faut savoir

Environ 5 % des gens ayant un cancer développeront une compression de la moelle épinière. Les types les plus courants de cancer pouvant causer ce problèmes sont les cancers des poumons, du sein, de la prostate, le myélome multiple et l'hypernéphrome.

- Le premier signe de la compression de la moelle épinière, c'est la douleur au dos.
- La compression devenant plus grave, les signes incluent les suivants :
  - changements au niveau des sensations, comme picotements, engourdissements, sensation de chaud et de froid.
  - changements au niveau des intestins et de la vessie, soit incontinence, soit problème à uriner ou à aller à la selle.
  - changements moteurs - problèmes à se lever, sensation de faiblesse et de ne pas avoir de force aux membres.
  - chutes fréquentes.
- Si ceci est dépisté tôt, une radiothérapie et des médicaments stéroïdes peuvent soulager la pression sur la colonne vertébrale et peut-être prévenir la paralysie.

POINTS IMPORTANTS

- Signalez immédiatement à l'infirmière de soins à domicile et au médecin si la personne commence à présenter des signes de compression de la moelle épinière.

SYNDROME DE VEINE CAVE SUPÉRIEURE

Un syndrome et un ensemble de symptômes qui sont tous associés à un problème. Les symptômes de syndrome de veine cave supérieure sont causés par la tumeur qui exerce une pression sur le grand vaisseau sanguin allant au cœur.

Ce qu'il faut savoir

Signes précoces

Pendant les premières phases, on pourrait observer certains des signes suivants :

- essoufflement
- respiration rapide
- fréquence cardiaque rapide
- maux de tête, étourdissements
- veines du cou et de la poitrine proéminentes
- rougeur du visage, du cou et de la partie supérieure du tronc

> **POINTS IMPORTANTS**
> - **Demandez de l'aide :**
>   - *de la part de votre médecin ou de l'infirmière de soins à domicile si la personne présente des signes de syndrome de veine cave supérieure.*

Signes tardifs

Alors que le problème progresse, vous pourriez observer :

- l'enflure du visage
- l'enflure autour des yeux
- le col et les bijoux, comme les bagues, sont serrés
- douleur à la poitrine
- serrement de la gorge
- difficulté à avaler
- toux
- problèmes de vision
- enflure des bras

CONVULSIONS (Crises convulsives)

Les convulsions ou les crises convulsives causent une perte de conscience et des mouvements saccadés des muscles. Elles sont causées par des changements au niveau des impulsions nerveuses normales qui vont au cerveau et en reviennent. La fièvre élevée, certains médicaments, des blessures à la tête, des infections du liquide rachidien ou du liquide qui entoure le cerveau, ou encore une tumeur de la moelle épinière ou du cerveau, tout cela peut causer des crises convulsives.

Ce qu'il faut savoir

Les convulsions peuvent être effrayantes, surtout si on n'en a jamais vu. Elles s'arrêteront d'elles-mêmes, après quelques secondes ou quelques minutes.

- La personne crie ou geint, puis perd conscience.
- Les yeux regardent fixement ou roulent vers l'arrière.
- Il pourrait y avoir perte de contrôle soudaine de la vessie et des intestins.
- Mouvements saccadés du corps, particulièrement des bras et des jambes.
- La crise convulsive pourrait impliquer le corps tout entier ou seulement une partie.
- S'il y a une possibilité de convulsions, le médecin pourrait prescrire un médicament pour aider à les prévenir.

POINTS IMPORTANTS

- Il ne faut jamais laisser la personne seule pendant une crise convulsive, même pas pour appeler le médecin.
- Il ne faut jamais tourner de force le cou ou un membre rigide.
- Il ne faut jamais restreindre les mouvements de la personne.
- Il ne faut pas déplacer la personne, sauf pour la mettre hors de danger si elle se trouve près d'un radiateur, d'une porte en verre, d'un escalier ou autre danger.
- Il ne faut pas essayer d'ouvrir la bouche de la personne pendant la crise convulsive, même si elle se mord la langue. Gardez votre main et vos doigts loin de la bouche de la personne.
- Attendez que la personne ait repris entièrement conscience avant de lui donner à manger, à boire ou un médicament.
- Une fois a crise convulsive passée, quand la personne est confortable, appelez le médecin.
- Appelez à l'aide si :
  - *une crise convulsive dure plus de cinq minutes.*
  - *la personne ne reprend pas conscience quand la crise s'arrête.*
  - *c'est la première fois qu'une crise convulsive se produit.*

Comment offrir des soins

Restez calme. Une fois qu'une crise convulsive a commencé, vous ne pouvez pas l'arrêter.

- Empêchez la chute par terre en prenant la personne dans vos bras si la crise convulsive se produit quand la personne est au lit ou dans un fauteuil.
- Déplacez les objets qui pourraient blesser la personne.
- Enlevez ses lunettes et desserrez ses vêtements.
- N'essayez pas de restreindre ses mouvements. Laissez la crise se dérouler.
- Essayez de tourner la tête sur le côté pour que la salive s'écoule hors de la bouche et non dans la gorge.
- N'essayez pas de forcer la mâchoire ouverte ou de placer un objet dur dans la bouche pour la garder ouverte. Ceci est dangereux. Vous pourriez endommager les dents ou les gencives de la personne. Elle pourrait également briser ce que vous lui aurez mis dans la bouche et pourrait s'étouffer.
- Essayez d'observer le type de mouvement fait par la personne, combien de temps dure la crise et quelles parties du corps sont en mouvement.
- Restez avec la personne jusqu'à ce que la crise s'arrête. Ensuite, assurez-vous que la personne respire bien.
- Parlez-lui doucement, en la rassurant, car elle pourrait être confuse ou effrayée et ne se souviendra probablement pas de ce qui se sera passé.
- Sachez que les convulsions sont épuisantes. La personne pourrait avoir mal à la tête, sera très fatiguée et aura besoin de repos.
- Utilisez des ridelles et des coussinets de rembourrage autour du lit si la personne risque d'avoir des crises convulsives. Restez près de la personne si elle marche ou si elle est assise sur un fauteuil.

LES HÉMORRAGIES

L'hémorragie est un saignement excessif qui est très difficile à arrêter. Il est rare mais peut se produire dans le cadre de certains problèmes médicaux. Les tumeurs de l'estomac ou des intestins, ou les tumeurs qui affaiblissent les artères pourraient causer ce saignement.

Ce qu'il faut savoir

Une hémorragie peut être très effrayante, tant pour vous que pour la personne qui saigne. Il y a des signes annonciateurs qui vous alertent à la possibilité d'une hémorragie.

- La personne pourrait commencer à se plaindre de se sentir fatiguée ou faible, et pourrait avoir mal.
- Sa respiration pourrait devenir rapide et irrégulière et la fréquence cardiaque pourrait augmenter.
- La peau de la personne sera froide et moite au toucher et elle sera pâle. Ce sont des signes d'état de choc, ce qui est la réaction du corps à l'hémorragie grave.
- Si votre médecin ou infirmière pense que la personne pourrait avoir une hémorragie, le médecin pourrait prescrire un médicament qui rendra la personne somnolente et ainsi elle ne se rendra pas compte de ce qui se passe.
- La personne pourrait commencer à saigner d'une tumeur, de la bouche, du nez, des oreilles, du rectum ou du vagin. Parfois, le sang ne s'échappe pas du corps mais s'accumule à l'intérieur. Quand ceci se produit, de grands bleus apparaîtront éventuellement sur la peau.

Comment offrir un réconfort et des soins

Une hémorragie peut se produire très soudainement, ce qui vous laisse très peu de temps pour réagir.

- Discutez avec votre médecin ou avec l'infirmière de soins à domicile comment gérer cette urgence si elle se produit.
- Restez avec la personne et rassurez-la. Parlez-lui calmement et utilisez des couvertures supplémentaires pour la garder au chaud.
- Ne forcez pas une personne à rester éveillée. Ceci ne fera qu'ajouter à son niveau de stress et d'anxiété.
- Si du sang commence à s'échapper du corps, n'essayez pas de l'arrêter. Épongez-le avec des serviettes sombres. Ceci absorbera le sang et cachera la quantité de sang perdu, ce qui est une cause d'anxiété tant pour vous que pour la personne.

À l'approche de la mort

LA MORT À LA MAISON

Voici quelques aspects que vous devrez envisager si la personne chère prévoit mourir à la maison.

Ce qu'il faudra envisager

La décision de mourir à la maison pourrait être difficile pour vous deux. Aider quelqu'un à mourir à la maison peut être gratifiant, mais cela représente beaucoup de travail. Vous devrez décider pour dire que c'est ce que vous désirez tous les deux.

- Parlez à la personne mourante des arrangements à prendre ainsi que de vos inquiétudes et de vos sentiments.
- Prévoyez ce que vous ferez si vous ou si la personne chère changez d'avis concernant la mort à la maison. Ce ne serait pas un échec. Vous pouvez quand même donner des soins fondamentaux dans le cadre d'une maison de soins infirmiers ou d'un centre de soins palliatifs et vous assurer que la personne est confortable.
- Discutez de votre décision avec votre infirmière de soins à domicile et votre médecin.
- Renseignez-vous sur ce à quoi vous pourrez vous attendre pendant les derniers jours de la vie de la personne chère pour être préparé face aux changements que vous pourriez observer.
- Parlez à votre infirmière de soins à domicile des aspects religieux et culturels qui seront importants pour vous et pour la personne mourante.

Comment offrir un réconfort et des soins

Votre rôle, c'est d'offrir un réconfort de toutes les manières possibles.

- Administrez un médicament pour la douleur, la nausée et l'essoufflement, selon un horaire régulier.
- Jouez de la musique ou lisez à la personne chère si ceci semble la relaxer. (Souvenez-vous que si la personne n'est pas entièrement consciente, il se pourrait que ce ne soit pas une bonne idée de jouer continuellement de la musique, car la personne n'a pas de possibilité d'échapper au son.)
- Retournez la personne toutes les deux heures ou repositionnez-la sur des oreillers.
- Faites-lui des massages au dos et maintenez la peau hydratée avec de la lotion.
- Humectez les lèvres de la personne et utilisez de la crème pour les lèvres afin de prévenir la sécheresse.
- Soyez conscient des bruits de l'extérieur, comme le rire des enfants, et déterminez si ceci est réconfortant ou dérange la personne.

- Contrôle le nombre de visiteurs et la durée de la visite, pour que la personne ne se sente pas épuisée.
- Encouragez les visiteurs à téléphoner à l'avance et dites-leur si ce n'est pas le bon moment pour venir.
- Si vous avez un guide spirituel, tenez cette personne au courant de l'évolution de l'état de la personne chère.

Détails pratiques

- Conservez à portée de la main le numéro de téléphone des infirmières à domicile et des médecins.
- Conservez dans un seul carnet des informations concernant les soins et les personnes à appeler.
- Préparez une liste des gens à appeler quand la mort est imminente.
- Décidez si un conseiller spirituel devait être contacté avant ou au moment de la mort.
- Demandez à ce que le médecin soit présent au moment de la mort. Comme il n'est pas obligatoire que le médecin vienne à la suite d'un décès attendu à domicile, on devra prendre des mesures dans ce sens à l'avance.

POINTS IMPORTANTS

- Il faudra communiquer clairement les instructions visant à ne pas prendre de mesures héroïques. Cela veut dire que si une ambulance est nécessaire pour transporter la personne à un hôpital ou un centre de soins palliatifs, on ne réanimera pas la personne si elle meurt dans l'ambulance. Ces instructions pourraient être appelées un ordre de ne pas réanimer, un statut de code ou des niveaux de soins. Discutez de ceci avec votre infirmière de soins à domicile ou votre médecin, pour prendre les mesures nécessaires.
- Dites aux personnes qui accompagnent le mourant ou qui lui fournissent des soins infirmiers que vous ne désirez pas que l'on compose le 911 et que ce n'est pas non plus ce que désire la personne mourante.
- Prenez les mesures nécessaires en vue des funérailles avec un salon funéraire et précisez que vous prévoyez un décès à domicile.
- Si vous pensez que vous ne pouvez plus soigner la personne à la maison, parlez à votre infirmière de soins à domicile.
- **Demandez de l'aide si la personne :**
  - *est inconfortable.*
  - *a de la difficulté à respirer.*
  - *semble bouleversée ou agitée, même si elle est endormie ou dans le coma.*
  - *a de la difficulté à uriner ou à aller à la selle.*
  - *est tombée.*
  - *ne prend pas ses médicaments.*

LE TRANSFERT À UN CENTRE DE SOINS PALLIATIFS OU UN HÔPITAL

Il pourrait y avoir un moment où la personne chère doit être admise à un établissement de soins ou à un hôpital pour des symptômes physiques reliés à la maladie ou parce que les soins ne peuvent plus être gérés à la maison.

Ce dont vous devrez vous souvenir

Être un aidant naturel est très lourd, tant sur le plan physique qu'émotionnel. N'ayez pas un sentiment d'échec si vous décidez que vous ne pouvez plus fournir de soins à la maison.

- Continuez de participer aux soins de la personne, soit en aidant à prendre des décisions, soit en aidant au niveau des tâches simples.
- Donnez-vous la permission de prendre des pauses pour vous reposer de votre rôle d'aidant et retourner chez vous.
- Demandez à des membres de la famille ou des amis d'accompagner la personne si la pensée de la quitter vous rend inconfortable.
- Si vous désirez passer la nuit près de la personne, assurez-vous de dormir dans des conditions confortables.
- Emportez avec vous un livre ou une activité à faire pendant que vous tenez compagnie à la personne.

Comment offrir un soutien

La décision de déplacer quelqu'un de son cadre familier n'est jamais facile à prendre. Pour quelqu'un qui présente une maladie terminale, cette décision pourrait sembler très finale.

- Discutez avec la personne de la décision du transfert, en expliquant les limites que vous prévoyez à votre capacité de la soigner.
- Faites participer la personne aux décisions concernant les soins anticipés à l'hôpital ou au centre de soins palliatifs.
- Restez avec la personne pendant le transfert.
- Emportez des objets importants de la maison, comme des photos de famille, une couverture, un oreiller et des vêtements pour rendre le nouveau cadre plus familier.

LES DERNIERS JOURS DE LA VIE

Pendant les derniers jours avant la mort, la personne présente des changements graduels, alors que les fonctions corporelles se terminent. La personne pourrait devenir repliée sur elle-même et moins consciente du milieu où elle se trouve.

Ce à quoi vous attendre

Retrait

Le mourant ressent une séparation par rapport au monde et pourrait avoir l'impression que personne ne comprend vraiment son expérience. De nombreuses personnes ayant des croyances religieuses font l'expérience de l'anxiété face à l'absence apparente d'un pouvoir spirituel.

- De nombreux détails deviennent importants, comme l'histoire de sa vie, les regrets, les obstacles aux relations, les pertes et la pensée de la vie après la mort.
- La personne puisse commencer à évoquer la mémoire de gens qui sont morts.
- Bien que la personne pourrait sembler avoir abandonné tout espoir, derrière le silence pourraient se cacher de nombreuses pensées qui vont l'aider à faire face à la mort imminente.
- Avec le retrait, la personne sent moins le besoin de communiquer avec les autres.
- Le toucher et le silence prennent une signification plus importante, alors que les mots perdent leur importance. Ceci ne veut pas dire que la personne ne prend pas plaisir à écouter vos mots.

Les changements au niveau de la conscience

La maladie avancée peut affecter la capacité de la personne de penser clairement et de réagir à son milieu. Les changements mentaux coïncident souvent avec les changements physiques pendant les derniers jours d'une maladie.

- La personne pourrait devenir agitée, excitée ou irritable sans raison apparente.
- Des instructions simples pourraient être mal comprises.
- La capacité de penser clairement et de communiquer ses pensées pourrait être diminuée.
- Les personnes ou les objets familiers pourraient ne pas être reconnus ou la personne pourrait oublier des choses simples.

- Les hallucinations pourraient être gênantes.
- La personne pourrait être somnolente tout le temps et s'endormir même pendant les conversations.
- Parfois, la personne semble vouloir saisir un mort ou appeler son nom.

Comment offrir un réconfort et des soins

Pendant les dernières journées de la vie, les suggestions suivantes pourraient aider à calmer une personne repliée sur elle-même ou troublée.

- Tenez-lui compagnie en vous asseyant tranquillement à côté d'elle, pour la réconforter. Touchez-la délicatement pour lui rappeler que vous êtes là ou si vous désirez lui parler.
- Rapprochez-vous et parlez-lui doucement, supposez qu'elle vous entendra même si elle ne vous répond pas.
- Réduisez la confusion en limitant les distractions bruyantes, comme la télévision et la radio.
- Demandez aux visiteurs de parler à voix basse.
- Rappelez doucement à la personne l'heure qu'il est, qui vous êtes et où vous êtes tous les deux.
- Ne discutez pas avec la personne si la réalité est différente pour elle. Parfois, être d'accord avec quelqu'un qui est légèrement confus permet à la situation de se dissiper sans créer une crise.
- Écoutez sans parler si la personne a besoin d'exprimer des pensées, des inquiétudes ou des sentiments.
- Essayez de jouer de la musique douce pour relaxer la personne.
- Continuez de lui offrir des boissons et de très petites portions de ses aliments préférés qui sont mous et faciles à manger.
- Enlevez la nourriture sans faire de commentaires si la personne la refuse. Essayez de nouveau plus tard.

LES SIGNES QUE LA MORT APPROCHE

Ce qu'il faut savoir

Alors que la mort est imminente, le corps subit des changements. Si vous savez à quoi vous attendre, vous serez moins anxieux quand vous les verrez survenir.

- La respiration change, devient superficielle, plus rapide ou plus lente.
- La respiration pourrait être difficile, avec des périodes intermittentes sans respiration.
- Des bruits de gargouillis dans la gorge et dans la poitrine pourraient accompagner la respiration.

- Il pourrait devenir difficile d'avaler.
- La fréquence cardiaque pourrait être irrégulière.
- L'anxiété et l'agitation pourraient augmenter.
- Il pourrait y avoir un niveau réduit de conscience.
- La personne ne s'intéresse plus à boire.
- Il y a petites quantités d'urine très sombre ou pas d'urine du tout.
- On note une froideur progressive et l'apparition d'une couleur mauve, surtout aux bras et aux jambes.

Comment offrir un réconfort et des soins

Même si la personne chère ne semble pas être consciente de votre présence pendant cette dernière étape, votre présence est quand même un réconfort.

- Continuez de la toucher et de la rassurer que vous êtes près d'elle et que vous l'aimez.
- Parlez calmement et naturellement.
- Fournissez un réconfort en gardant la personne au sec et en humectant ses lèvres d'un lubrifiant.
- Élevez la tête de lit si la respiration est difficile ou soulevez la partie supérieure du corps avec des oreillers.

QUAND LA MORT SE PRODUIT

Ce qu'il faut savoir

Au moment de la mort, les fonctions corporelles cessent.

- Il n'y aura pas de réaction, pas de respiration et pas de pouls.
- Les yeux pourraient être fixés dans une direction; ils pourraient être ouverts ou fermés.

POINTS IMPORTANTS

- Même si la personne chère semble éprouver de la détresse, la respiration étant difficile et le battement cardiaque étant irrégulier, ceci pourrait ne pas trop gêner la personne et elle pourrait être très confortable.
- Il ne faut pas essayer de la forcer à boire du liquide ou manger un aliment. Ceci pourrait causer un étouffement.
- Continuez de donner des médicaments pour la douleur. Tout ce que vous pouvez faire pour soulager la douleur et l'inconfort est important au cours de ces dernières heures.
- Si la personne ne peut pas avaler de pilules, demander des conseils à l'infirmière de soins à domicile.
- Certaines des thérapies complémentaires suggérées à la page 98 pourraient offrir un réconfort à cette étape.
- Même si la personne chère semble endormie ou inconsciente, elle pourrait comprendre vos mots. Ne dites rien qu'il ne faudrait pas qu'elle entende.

- Les mâchoires se relâcheront et la bouche pourrait rester légèrement ouverte.
- Il pourrait y avoir perte de contrôle de la vessie ou des intestins.

Que faire

Quand la mort se produit, vous pourriez ressentir le besoin urgent de « faire quelque chose », mais il n'y a rien d'urgent à faire.

- Élaborez avec l'infirmière de soins à domicile un plan pour savoir qui contacter au moment de la mort. **Il ne faut pas appeler le 911 ou une équipe d'urgence.** L'équipe arriverait en s'attendant à devoir sauver une vie ou fournir un traitement agressif. Les ambulanciers sont obligés par la législation de le faire, à moins qu'un ordre de ne pas réanimer soit en vigueur.
- Ne pensez pas que vous devrez appeler le salon funéraire immédiatement après la mort. Parfois, les amis et les membres de la famille qui n'étaient pas présents au moment du décès veulent voir la personne.
- Soutenez toute personne qui désire embrasser, caresser ou donner un bain à la personne. Ce sont des manières normales de faire face à la finalité de la mort.
- Appelez l'infirmière de soins à domicile et le médecin de famille pour leur signaler que la mort s'est produite.

Quels soins donner au corps

Des changements physiques pourraient avoir lieu quelques heures après la mort. Certaines choses peuvent être faites pour intervenir sur le plan de ces changements.

- Veillez à ce que la personne chère soit allongée sur le dos, la tête légèrement surélevée sur un oreiller.
- Fermez les yeux.
- Replacez immédiatement dans la bouche les dentiers qui avaient été enlevés.
- Placez une petite débarbouillette ou une serviette roulée sous le menton pour garder la mâchoire fermée.
- Enlevez les bagues et les bijoux à moins que vous ayez tous prévu ne pas le faire. Placez du ruban adhésif autour des bagues si elles sont laissées en place, car les muscles pourraient se relâcher par la suite et les bagues pourraient s'échapper des doigts.
- Recouvrez le corps d'un drap pour le garder au chaud et diminuer la raideur qui pourrait se produire.
- Veillez à ce que la perruque ou autre dispositif soit prêt à accompagner la personne au salon funéraire.

Comment vous pourrez vous réconforter vous-même et les personnes qui vous entourent

Ne vous pressez pas.

- Si vous avez un conseiller spirituel, demandez à ce que cette personne soit avec vous et effectuez les rituels d'adieu appropriés au chevet du corps.
- Les membres de la famille et les amis pourraient trouver utile de se rassembler autour de la personne chère et de prendre quelques moments pour exprimer, à haute voix ou en silence, leur gratitude envers la vie de la personne. Un geste d'adieu : un baiser, prendre la personne dans ses bras ou faire un geste ayant une signification spirituelle peut aider à marquer ce moment et apporter une conclusion.
- Ayez un contact physique avec les autres, si cela vous réconforte.
- Effectuez des actions qui vous calment, comme prendre une boisson chaude ou respirer profondément.
- Passez autant de temps avec la personne chère que vous le désirez. Prenez le temps de lui dire adieu.
- Souvenez-vous qu'il pourrait être éprouvant pour vous et pour d'autres membres de la famille d'être présent quand la personne chère est transportée au salon funéraire. Il vous sera peut-être plus facile de sortir de la maison à ce moment-là.

LES MESURES À PRENDRE APRÈS LA MORT

Les mesures à prendre après la mort sont des tâches difficiles sur le plan émotionnel, que l'on fait souvent quand on est le moins capable de prendre ces décisions. Certaines personnes décident donc de prendre les mesures nécessaires à l'avance. Alors, au moment de la mort, on a le temps de visiter les membres de sa famille et de commencer le processus de deuil sans se préoccuper des détails nécessaires à l'organisation. Pour d'autres personnes, prendre les mesures nécessaires à l'avance pourrait sembler des gestes empreints de trop de finalité et elles pourraient penser qu'il est plus important de profiter du temps qu'il leur reste en compagnie de la personne chère. Il n'y a pas de solution correcte ou incorrecte à cette planification.

LA PLANIFICATION DES MESURES À PRENDRE

Ce qu'il faudra envisager

- Si vous choisissez de vous joindre à une société de prévoyance funéraire, cet organisme pourra vous aider à faire une planification préalable et à prendre toutes les mesures nécessaires au moment de la mort.
- La planification préalable vous donnera davantage de temps de prendre des décisions concernant les détails nécessaires.
- Vous pourriez économiser de l'argent si vous contactez plusieurs salons funéraires et trouver celui qui répond le mieux à vos besoins particuliers.
- Prépayer des funérailles pourrait aider à défrayer les coûts.
- Tout le monde aura le temps avant la mort de planifier ensemble un service funéraire. Certaines personnes décident de ne pas avoir de service, mais de rendre hommage à la personne d'une autre manière. La personne chère pourra être incluse à ces décisions.
- Sachez qu'après la mort, vous pourriez désirer changer d'avis concernant certains des détails. Ce n'est pas manquer de respect si vous choisissez de le faire.

LES DÉCISIONS À PRENDRE APRÈS LA MORT

Ce qu'il faudra envisager

Quand la personne chère sera morte, il y aura des détails qui nécessiteront votre attention immédiate.

Détails pratiques

Plusieurs des aspects pratiques suivants de la planification pourraient déjà avoir été réglés à l'avance.

- Informez les membres de la famille et les proches du décès.
- Si des fleurs et un programme imprimé sont prévus, demandez à quelqu'un de s'en occuper.
- Écrivez un article nécrologique pour le journal. Pendant cette période stressante, il est facile de faire des erreurs au sujet de certains détails, et il serait bon de demander à quelqu'un de relire la copie finale attentivement avant de l'envoyer.
- Si vous désirez donner de l'argent à un organisme de charité, vous devrez le choisir. Ceci peut être inclut dans la notice nécrologique.
- Notez les cartes, les visites et les dons reçus pour que pouvoir envoyer des remerciements par la suite.

La planification du service funéraire ou in memoriam

Si vous avez prévu le service à l'avance, vous aurez peut-être déjà décidé de certains de ces détails. La société de prévoyance funéraire ou le salon funéraire pourrait vous donner des conseils concernant certains détails.

- Un service peut prendre la forme de funérailles, d'un service in memoriam ou d'un simple service au moment de l'enterrement.
- Parfois, on choisit un service au chevet du lit. Si une simple incinération a été prévue, ce sera la dernière occasion pour les gens de voir la personne chère.
- Si vous n'avez pas de lieu habituel de culte, vous devrez décider où le service sera tenu. Les options incluent une chapelle funéraire, un centre communautaire ou chez vous.
- Vous devrez décider qui sera chargé du service. Selon la forme que vous choisissez, il pourrait s'agir d'un ministre du culte, d'un ami, d'un membre de la famille ou d'un aumônier.
- Vous devrez décider si la personne chère sera enterrée ou incinérée.
  - Si elle doit être enterrée, avez-vous déjà un lot que vous prévoyez utiliser?
  - Si la personne est incinérée, ses cendres seront-elles enterrées, conservées ou éparpillées?
  - Parfois, après une incinération, on crée un « jardin du souvenir » où les cendres sont enterrées et où on peut aller leur rendre visite.
- Certaines personnes enregistrent le service sur cassette audio ou vidéo. De cette façon, les mots soigneusement choisis pour l'allocution peuvent être répétés, on peut les entendre n'importe quand et on peut les envoyer aux personnes qui n'ont pas été en mesure de venir au service. Même les membres de la famille qui étaient présents aux funérailles apprécient souvent de pouvoir le regarder ou l'entendre de nouveau quand ils sont moins bouleversés.
- Pour toute planification que vous effectuerez, prenez en considération les horaires des gens qui viennent de l'extérieur de la ville.

INFORMATIONS PERSONNELLES NÉCESSAIRES

Le registraire des décès du district a besoin des informations suivantes concernant la personne qui est décédée. Vous devrez avoir cette information avec vous quand vous rencontrerez le directeur de funérailles. Le directeur de funérailles la notera et l'enverra avec le certificat médical de décès au service gouvernemental approprié. Cette information est nécessaire pour que le directeur de funérailles puisse obtenir un permis d'enterrement ou d'incinération et un certificat de décès.

Nom
_____
NOM DE FAMILLE (NOM DE JEUNE FILLE POUR UNE FEMME AU QUÉBEC)   PRÉNOMS

Adresse
_____
MAISON/APPARTEMENT et RUE/ROUTE   VILLE   CODE POSTALE

État civil (un certificat de mariage pourrait être nécessaire)
_____
CÉLIBATAIRE/MARIÉ(E)/VEUF OU VEUVE/DIVORCÉ(E)/CONJOINT(E) DE FAIT/UNION CIVILE

Nom de jeune fille
_____

Profession
_____

Date de naissance (un certificat de naissance pourrait être nécessaire)   Âge
_____
(MOIS/JOUR/ANNÉE)

Lieu de naissance
_____
VILLE   PROVINCE/PAYS   SI AUTOCHTONE, INDIQUEZ LA BANDE

Date du décès   Lieu du décès
_____

Nom du père   Lieu de naissance du père
_____

Nom de la mère   Nom de jeune fille de la mère
_____

Lieu de naissance de la mère
_____

Sexe   Taille   Poids   Religion
_____

Parent le plus proche
_____
NOM

Adresse
_____
MAISON/APPARTEMENT et RUE/ROUTE   VILLE   CODE POSTALE

N° d'assurance santé
_____

Médecin de famille
_____
NOM

Adresse
_____
MAISON/APPARTEMENT et RUE/ROUTE   VILLE   CODE POSTALE

N° d'assurance sociale
_____

LES AUTORITÉS À ALERTER

- Contactez le directeur de funérailles pour prendre les mesures nécessaires.

Directeur de funérailles   No de téléphone

- Remplissez le Guide de statistiques vitales et apportez-le à votre rendez-vous avec le directeur de funérailles.
- Contactez l'exécuteur ou l'exécutrice testamentaire et les avocats responsables du testament.

Exécuteur ou exécutrice   No de téléphone

Coexécuteur ou coexécutrice   No de téléphone

Avocat   No de téléphone

- Préparez une liste de personnes qu'il faudra informer. Demandez à quelqu'un de vous aider pour faire les appels téléphoniques.

Personne aidant aux appels   No de téléphone

- Au besoin, rédigez une notice nécrologique qui paraîtra dans le journal de votre choix. Ceci pourrait être coûteux et vous voudrez donc peut-être envisager la longueur de la notice, le nombre de fois où elle sera publiée et dans quels journaux. Le directeur de funérailles pourra vous aider sur ce plan.

Journal   No de téléphone

- Si vous le désirez, remerciez par écrit ou au téléphone les personnes qui auront envoyé des fleurs, des cartes ou fait des dons. De nombreux organismes de charité envoient des cartes de remerciements aux donateurs et informent la famille des dons qui ont été faits.

Organisme de charité désigné   No de téléphone

- Alertez le Régime de pensions du Canada/Régime des rentes du Québec, les banques, le propriétaire ou la compagnie responsable de l'hypothèque, la compagnie d'assurance, la compagnie de services publics, le bureau d'enregistrement et le bureau des véhicules automobiles. Vous aurez probablement besoin de plusieurs copies du certificat de décès pour ces formalités.

Bureau des pensions du Canada/Québec   No de téléphone

Banque   No de téléphone

Propriétaire/hypothèque   No de téléphone

Compagnie d'assurances   No de téléphone

- La plupart des prestations ne sont pas automatiques et il faut en faire une demande. Vous devrez contacter :
  - Le bureau de Régime de pensions du Canada/Régime des rentes du Québec - il faut faire une demande de prestations (prestations de décès forfaitaire, prestations au survivant, prestations pour enfants dépendants). Les prestations du Québec sont presque identiques à celles du Régime de pensions du Canada. Vous aurez besoin de votre numéro d'assurance sociale et de celui du défunt.

Votre numéro d'assurance sociale _____ Celui du défunt _____

- Compagnies d'assurance-vie de la personne (au besoin).

Compagnie d'assurance _____ No de téléphone _____

Compagnie d'assurance _____ No de téléphone _____

- Régimes privés de pension.

Régime de pension _____ No de téléphone _____

Régime de pension _____ No de téléphone _____

- Ministère des anciens combattants - si la personne a servi dans les Forces armées canadiennes, ses dépendants pourraient être admissibles à une pension.

No d'identité militaire _____ No de téléphone _____

- Tout autre organisme qui pourrait verser des prestations au décès, comme : syndicat, association canadienne des automobilistes, CAA-Québec, Mutuelle de crédit/Caisse populaire, ordres fraternels.

No de téléphone _____

No de téléphone _____

No de téléphone _____

- Contactez les autorités médicales et de santé non immédiatement concernées par le décès de la personne.
  - a)   Assurance-santé provinciale
    Voir annexe VII pour obtenir votre numéro de téléphone provincial.
  - b)   Couverture d'assurance-santé complémentaire
    Voir annexe VII pour obtenir votre numéro de téléphone provincial.

Téléphonez et fournissez : le nom de la personne décédée, sa date de naissance, sa date de décès, son numéro d'assurance-santé, le nom et la date de naissance des dépendants. Les dépendants doivent contacter ces bureaux dans les trois mois pour que de nouvelles cartes soient émises en leur nom.

• Contactez tout club, association, bibliothèque, abonnement de magazine, club de livres, etc., de la personne.

_____
No de téléphone

_____
No de téléphone

_____
No de téléphone

_____
No de téléphone

_____
No de téléphone

_____
No de téléphone

• Contactez votre compagnie d'assurance-automobile. Si l'assurance est au nom de la personne, vous devrez peut-être obtenir un nouvel enregistrement.

_____
No de téléphone

_____
No de téléphone

Au Québec, contactez la Société de l'assurance-automobile du Québec (SAAQ)
No de téléphone : 1-800-361-7620

LE DEUIL

Les personnes qui essaient de s'adapter à la mort d'une personne chère traversent généralement une période de deuil. Le deuil fait partie du processus de guérison qui aide la personne à faire face au passé et à s'adapter à la vie sans la personne chère qui est décédée.

Ce qu'il faut savoir

La mort d'une personne chère est suivie par des réactions de chagrin clairement comprises. Elles pourraient ne pas se dérouler selon une séquence prévisible et pourraient se chevaucher. Parfois, on ne ressent pas l'intensité de sa perte avant quelques mois. Malheureusement, une personne en deuil ne comprend pas toujours que son expérience est parfaitement normale.

- Le deuil peut être difficile, stressant et fatiguant, mais ce n'est pas une maladie.
- Le choc et la paralysie émotionnelle sont souvent les premières étapes du deuil. Ceci est naturel, même quand on s'attend à la mort.
- Vous pourriez vous sentir coupable et avoir un sentiment d'échec. Pendant cette période, on pense souvent « si seulement... ».
- La colère est une réaction fréquente et normale à la mort. Elle est souvent dirigée contre la personne qui est morte. Parfois, elle est dirigée contre d'autres personnes ou des événements sans rapport avec la mort. Elle peut aller de l'irritabilité légère à la rage. Si vous vous sentez en colère, ne tentez pas de supprimer cette émotion. Acceptez que c'est une partie naturelle du deuil.
- Vous sentirez probablement une tristesse et une solitude profondes après la mort d'une personne chère.
- Vos pourriez nier la mort pour vous protéger de la douleur du deuil.
- Toute personne réagit de manière différente au deuil. Il n'y a pas de remède rapide ni de manière officielle de vivre son deuil.
- La douleur de la perte ne s'en va jamais complètement, mais diminue au fil du temps.

Comment le deuil peut vous affecter sur le plan physique

Vos pourriez présenter une gamme si variée de symptômes physiques que vous commencerez à penser que vous êtes malade. Il s'agit d'une réaction physique au deuil. Ces réactions incluent les suivantes :

- serrement de la poitrine, palpitations
- diarrhée, constipation, vomissements

- manque d'énergie, faiblesse
- agitation
- difficulté à dormir ou trop dormir
- diminution de la sexualité
- essoufflement
- pleurs, soupirs
- étourdissements, frissons, évanouissement
- manque d'appétit, tendance à trop manger
- consommation accrue d'alcool ou de médicaments

Comment le deuil peut vous affecter sur le plan mental

Quand vous êtes en deuil, votre état mental pourrait provoquer de nombreuses émotions que vous n'avez encore jamais ressenties, par exemple :

- mauvaise concentration
- confusion, « cela ne peut pas être vrai »
- pensées constantes concernant la personne
- rêveries pendant la journée
- cauchemars, rêves de perte

Comment le deuil peut vous affecter sur le plan émotionnel

Quand vous êtes en deuil, vos émotions peuvent changer d'heure en heure. Ceci est normal et se dissipera avec le temps. Vous pourriez présenter tout un éventail d'émotions comme :

- choc, paralysie émotionnelle, sensation de vide
- repli sur soi ou humeur explosive
- colère, rage
- déni, incrédulité
- frustration
- culpabilité, regrets
- nostalgie
- tristesse, dépression, désespoir
- solitude, isolement

Comment le deuil peut vous affecter sur le plan spirituel

Quelle que soit votre croyance, vous pourriez passer par une période de bouleversement spirituel profond. Vous pourriez :

- blâmer la vie, vous blâmer vous-même ou la personne décédée.
- penser que la vie n'a aucun sens et aucun objectif.
- vouloir mourir pour rejoindre la personne décédée.
- continuer de vous demander « pourquoi ceci est-il arrivé? ».
- blâmer votre puissance spirituelle ou vous en sentir séparé.

Comment le deuil peut vous affecter sur le plan social

Quand on est en deuil, on pourrait penser qu'on est seul à comprendre l'importance de cette perte. Vous pourriez vouloir obtenir le soutien des autres tout en ne voulant pas les laisser trop s'approcher de vous, parce que vous pensez que personne ne peut réellement comprendre ce que vous traversez. Ces sentiments pourraient inclure les suivants :

- attentes non réalistes.
- manque d'intérêt envers les activités des autres.
- repli sur soi.
- dépendance des autres.
- crainte d'être seul.
- sentiment de ne plus se sentir à l'aise avec les amitiés établies.
- nouer rapidement de nouvelles amitiés.

LES ENFANTS ET LE DEUIL

Les enfants vivent également le deuil, mais de manière différente des adultes. Leur compréhension, leurs réactions et ce qui peut les aider varient souvent selon leur âge.

- Les enfants de tous les âges ressentent la tristesse, la perte et la douleur, craignent la mort et craignent d'être laissés seuls.
- Les enfants de tous les âges pourraient ressentir de la culpabilité face à ce qui est arrivé.
- Les enfants de moins de trois ans ne peuvent pas comprendre que la mort est permanente.
- Les enfants de moins de 10 ans pourraient avoir peur de tomber malade et de mourir. Si la personne chère qui est morte était l'un de ses parents, l'enfant pourrait se préoccuper en pensant que l'autre parent va mourir aussi.
- Les enfants de plus de 10 ans comprennent mieux mais ne sont pas capables de parler de la mort.

Comment offrir un réconfort et des soins aux enfants

La manière dont les parents vivent leur deuil affecte l'attitude de leurs enfants. Les gens qui sourient bravement quand ils sont tristes provoquent de la confusion chez les enfants. Les adultes qui admettent leurs sentiments et pleurent avec leurs enfants les aident à accepter et à comprendre la mort. Certains livres qui pourraient aider les enfants pendant leur période de deuil sont suggérés à la page 138.

- Incluez l'enfant à ce qui arrive.
- Dites la vérité et fournissez beaucoup de soutien.
- Écoutez attentivement la signification derrière les mots prononcés par l'enfant concernant ses sentiments.
- Soyez honnête et donnez des réponses en utilisant des mots qu'ils comprendront.
- Rassurez les enfants en leur disant que la maladie n'aboutit pas toujours à la mort.
- Rappelez aux enfants qu'on les aime comme toujours, même pendant la période de deuil.
- Dites aux enfants que leurs pensées et leurs émotions sont normales et qu'il n'y a aucun mal à pleurer.
- Rassurez-les en disant que les autres personnes comprennent leur chagrin.
- Encouragez-les à exprimer leurs émotions en parlant, en faisant de la peinture, en écrivant des poèmes, en créant des marionnettes et en faisant de la musique.
- Essayez de garder la routine des enfants aussi normale que possible.

PRENEZ SOIN DE VOUS-MÊME PENDANT LA PÉRIODE DE DEUIL

Il est difficile d'anticiper comment vous allez réagir au moment de la mort. L'important, c'est de se souvenir qu'il n'y a pas de bonne et de mauvaise façon de se comporter. Faites ce qui vous semble juste.

- Acceptez votre besoin de porter le deuil et de ressentir votre perte. Il n'y a aucun mal à pleurer et à exprimer votre tristesse.
- Parlez de vos sentiments si ceci vous réconforte. Choisissez quelqu'un avec qui vous vous sentez en confiance et qui sait écouter.
- Prenez votre temps pour reprendre vos activités régulières. Soyez patient avec vous-même quand vous êtes confus ou distrait.
- Soignez-vous physiquement. Mangez bien, faites de l'exercice et reposez-vous beaucoup. Une mauvaise nutrition vous fait courir un risque de problèmes de santé. Faites quelque chose d'agréable pour vous-même chaque jour.

- Explorez ce que la vie et la mort signifient pour vous.
- Ne vous isolez pas. Rencontrez de vieux amis, parlez de votre perte, mentionnez la personne décédée par son nom.
- Faites attention quand vous conduisez votre voiture. Une mauvaise concentration et la distraction peuvent être dangereuses.
- Ralentissez et négligez certaines de vos responsabilités pendant un certain temps. Vous devrez vous attendre à avoir un niveau d'énergie bas.
- Attention aux médicaments et à l'alcool. Ceci peut diminuer votre capacité de penser clairement.
- Sachez que les palpitations, les problèmes digestifs, les douleurs à la poitrine, l'essoufflement sont des réactions normales de deuil, mais il est important de contacter votre médecin et de lui demander de vérifier quand même vos symptômes.
- Prenez le temps de faire ce qui vous plaît et de continuer à vivre tout simplement.
- Faites porter votre attention sur des pensées positives chaque jour.
- Prenez le temps d'être seul quand vous en avez besoin.
- Si la prière fait partie de votre vie normale, ne soyez pas impatient avec vous-même car cela prend du temps avant de pouvoir recommencer à prier. Laissez les autres continuer à prier pour vous.
- Lisez les ressources indiquées à la page 138 pour obtenir des suggestions sur la manière dont vous et vos proches pourriez trouver un soulagement pendant cette période de deuil.

COMBIEN DE TEMPS POURRAIT DURER LE DEUIL?

Il est difficile de savoir pendant combien de temps on éprouve un deuil intense. On a parfois tendance, par erreur, à penser que l'on devrait « revenir à un état normal » en trois mois, mais ce n'est pas le cas.

- De nombreuses personnes notent que le sentiment de deuil s'en va et revient comme des vagues pendant une longue période.
- Après plusieurs mois, les sentiments intenses commencent à se dissiper.
- Cela pourrait vous prendre plusieurs mois et même plus avant de vous sentir plus équilibré, découvrir de nouveaux intérêts et remarquer que la vie commence lentement à reprendre un sens.
- Au fil du temps, l'adaptation devient plus facile et la confiance en soi revient.
- Cela pourrait vous prendre beaucoup de temps pour revenir aux endroits ou refaire les activités que vous aimiez faire ensemble avant la mort de la personne.

- Bien que vous puissiez entamer une nouvelle vie, active, cela pourrait vous prendre plusieurs années avant d'avoir l'impression d'exister entièrement sans la personne décédée.
- Même quand vous pensez avoir dépassé le deuil, des émotions pourraient être déclenchées par des souvenirs, des endroits, des chansons, des films ou des poèmes.
- Le deuil s'efface et devient partie de votre vie.

POINTS IMPORTANTS

Vous devrez trouver d'autres manières de vous adapter à la situation. Demandez-vous ce qui vous a aidé à faire face aux difficultés, par le passé, et utilisez ces méthodes maintenant. Si ceci ne vous aide plus, soyez honnête avec vous-même en répondant aux questions suivantes.

Depuis le décès, est-ce que :

- Vous êtes toujours de mauvaise humeur et en colère?
- Vous êtes occupé tout le temps, agité ou incapable de vous concentrer sur ce que vous devriez faire?
- Vous avez peur de vous attacher trop aux autres gens de crainte de faire face à une perte de nouveau?
- Vous observez que vous pensez tout le temps à la même chose?
- Vous êtes incapable de vous débarrasser de la culpabilité relative à ce que vous avez fait ou non avant la mort de la personne?
- Vous vous sentez tout le temps seul et comme paralysé émotionnellement?
- Vous pensez souvent à votre propre mort?
- Vous effectuez des actions qui pourraient être nuisibles pour vous comme boire beaucoup d'alcool, prendre davantage de médicaments, conduire dangereusement?
- Vous pensez souvent au suicide?
- Vous avez toujours peur sans raison?

Le deuil peut se transformer en dépression clinique qui pourrait nécessiter une aide professionnelle. Si vous répondez oui à l'une des questions ci-dessus pendant plus d'un an après le décès, adressez-vous à votre médecin pour recevoir une aide.

QUELQUES PENSÉES FINALES

Pour certaines personnes, le deuil a surtout été ressenti avant la mort. La mort elle-même apporte un sens de conclusion et la guérison a déjà commencé. Pour certaines personnes, le processus de deuil pourrait être plus long. Pour tout le monde, la guérison peut prendre de nombreuses formes, alors que la vie revient graduellement à la normale.

- Il pourrait y avoir un sentiment énorme de soulagement: la personne ne souffre plus.
- En y réfléchissant, vous pourriez ressentir une fierté intense face au courage et à la dignité de la personne lors de la mort.
- Vous pourriez ressentir des liens puissants avec les membres de la famille et les amis qui vous ont soutenu.
- La joie de vivre pourrait commencer à revenir.
- Vous pourriez avoir l'impression d'entamer un nouveau début dans la vie, avec de nouvelles expériences.
- Vous pourriez vouloir vivre la vie au maximum pour compenser le fait que la personne chère n'en aura plus l'occasion.

Vous voudrez toujours vous souvenir de la personne décédée. Cette personne a joué un rôle important dans votre vie et vous garderez donc son souvenir vivant dans votre cœur et dans votre esprit. Vos pourrez ressentir un réconfort en sachant qu'en l'ayant soignée lors des étapes finales de sa vie, vous avez posé un geste d'amour, de soutien et de réconfort.

Les livres et les autres ressources qui pourraient être utiles

LIVRES POUR ADULTES SUR LA MORT

Suggestions de lectures sur la perte, le deuil, la mort, la quête de sens, le suicide, la solitude, l'euthanasie, la tendresse, l'accompagnement, la résilience, le pardon, la survie, la maladie, la guérison psychique, la santé, la spiritualité.

Ces livres vous sont proposés par Johanne de Montigny, psychologue.

Abbé Pierre: *Testament*, Bayard éditions, Paris, 1994. Prophète, l'Abbé Pierre transmet ici son message, appelant l'humanité à inventer les moyens de la conquête de son avenir. Témoin d'un siècle qui s'achève, il décrit son itinéraire d'homme de foi.

Abiven, Maurice et collaborateurs: *Pour une mort plus humaine (Expérience d'une Unité hospitalière de soins palliatifs)*, InterÉditions, Paris, 1990.

Bacqué, Marie-Frédérique: *Le deuil à vivre*, éditions Odile Jacob, Paris, 1992. Dans une société qui refuse la douleur, qui valorise plaisir, jeunesse et performance, nous devons inventer des moyens de faire face aux drames qui accompagnent le mouvement même de la vie.

Bacqué, Marie-Frédérique et Hanus, Michel: *Le deuil*, (série Que sais-je?, No 3558)) éditions puf, Paris, 2000. "Lourde épreuve de la vie, le deuil est un des prototypes du traumatisme; il touche autant le corps que le cœur; il peut même être considéré comme le paradigme".

Balestro, Piero: *Parler l'amour (Les thérapies des tendresses)*, Médiaspaul, Paris, 1995.

De Broca, Alain: *Deuils et endeuillés*, 2ᵉ édition, Masson, Paris, 2001. La personne endeuillée va entrer dans une nouvelle étape de sa vie, "plus jamais" comme avant, et va devoir reconstituer de nouveaux repères et liens avec la personne manquante et l'environnement restant.

Bergeron, André et Volant, Éric: *Le suicide et le deuil, comment faire son deuil à la suite du décès d'un proche?* Éditions du Méridien, Montréal, 1998. Ce livre exceptionnel a pour objectif de permettre aux personnes qui vivent le deuil d'un suicide de comprendre ce qui leur arrive et de s'autoriser à exprimer leurs émotions et leurs sentiments.

Bertrand, Pierre: *Éloge de la fragilité*, éditions Liber, Montréal, 2000. Comment l'homme peut-il accomplir de si grandes et belles choses au milieu de tant d'obstacles?

Bertrand, Pierre: *Le silence de la pensée*, Humanitas, Montréal, 1995. En quoi la philosophie et la création, la méditation et le rêve, la solitude et la fraternité, la joie et la souffrance peuvent-ils nous permettre d'approcher le mystère immanent de la vie?

Bertrand, Pierre: *Le cœur silencieux des choses*, Liber, Montréal, 1999. Écrire est une arme pour lutter, pour persévérer. C'est dans l'acte d'écrire que les lectures, les impressions, les idées reprennent le plus vif contact avec la vie la plus concrète.

Bobin, Christian: *Ressusciter*, éditions Gallimard, Paris, 2001.

Bobin, Christian: *La plus que vive*, éditions Gallimard, Paris, 1996.

Bobin, Christian: *Le très bas*, collection l'un et l'autre, Gallimard, Paris, 1992. "Ce qu'on sait de quelqu'un empêche de le connaître."

Burdin, Léon: *Parler la mort (Des mots pour la vivre)*, éditions Desclée de Brouwer, Paris, 1997. Dans un grand hôpital parisien, l'auteur (prêtre) aide les mourants à passer, recueille leur dernier soupir ou leurs derniers mots, leur prodigue les dernières consolations, bref les accompagne dans le dernier voyage.

Bureau, Jules: *Le goût de la solitude*, collection Psycho-Santé, éditions du Méridien, Montréal, 1997. Comment conquérir sa solitude? Pourquoi la solitude est-elle si souffrante? Comment l'habiter?

Bureau, Jules: *Le goût de la vie, tome 1 et tome 2*, collection Psycho-Santé, éditions du Méridien, 1997.

Collectif de bénévoles: *Au-delà des cœurs brisés (L'accompagnement des personnes en deuil)*, Hôpital Royal Victoria, éditions Chenelière/McGraw-Hill, Montréal, 2003.

Corneau, Guy: *La guérison du cœur (nos souffrances ont-elles un sens?)*, les éditions de l'Homme, Montréal, 2000.

Cornillot, P.; Hanus, M. et collaborateurs: *Parlons de la mort et du deuil*, collection Face à la mort, Éditions Frison-Roche, Paris, 1997.

Cyrulnik, Boris: *Un merveilleux malheur*, aux éditions Odile Jacob, Paris, 1999. En comprenant cela, nous changerons notre regard sur le malheur et, malgré la souffrance, nous chercherons la merveille.

Cyrulnik, Boris: *Le murmure des fantômes*, Odile Jacob, Paris, 2003. Dans ce livre, Boris Cyrulnik raconte comment le fracas du passé murmure encore chez le grand enfant qui tisse de nouveaux liens affectifs et sociaux.

Dalaï-Lama (Le) et Cutler, Howard: *L'art du Bonheur*, document auditif (CD), Éditions Alexandre Stanké inc. 2001. (COF-110-LCD). Ces conversations nous montrent comment vaincre l'anxiété, l'insécurité, la colère et le découragement et explore notre vie quotidienne pour illustrer comment surmonter les obstacles de l'existence en puisant dans nos ressources de paix intérieure.

Danis, Mariette: *Survivre aux soins (Défi du soignant)*, Médiaspaul, Montréal, 2001.

Delisle, I . *Survivre au deuil: l'intégration de la perte*, Édition Paulines, Montréal-Médiaspaul, Paris, 1988.

de Montigny, Johanne: *Traité de psychologie de la santé*, chapitre <u>*Fin de vie, mort et deuil*</u>, ouvrage collectif sous la direction de Gustave-Nicolas Fischer, éditions Dunod, Paris, 2002, p. 322-343.

de Montigny, Johanne: *Revue Prisme, <u>Deuils particuliers et créativité dans l'intervention</u>*, Cliniques du deuil, No 36, publiée par l'Hôpital Ste-Justine de Montréal, 2001, p.108-116.

de Montigny, Johanne: *Événements traumatiques et empreinte de la mort*, Frontières, Université du Québec à Montréal, Centre d'études sur la mort, volume 10, numéro 3, hiver-printemps 1998, p. 12-16.

de Montigny, Johanne: *Quand le deuil se complique*, Psychologie Québec, volume 19, numéro 6, novembre 2002, p.19-22.

de Montigny, Johanne et Comeau, Michel: *Entre le deuil et l'espoir*: Documents auditifs (CD),volume 1 et volume 2 sur l'accompagnement des personnes en deuil.

de Montigny, Johanne et de Hennezel, Marie: *L'amour ultime*, collection livre de poche, éditions Hatier, Paris, 1991. Ce livre, qui rend compte d'expériences parfois difficiles, nous fait entrevoir ce qu'il y a d'amour et de respect de l'autre dans l'accompagnement des mourants.

de Hennezel, Marie: *Nous ne nous sommes pas dit au revoir, (la dimension humaine du débat sur l'euthanasie)*, collection aider la vie, éditions Robert Laffont, Paris, 2002.

de Hennezel, Marie: *La mort intime (ceux qui vont mourir nous apprennent à vivre)*, préface de François Mitterrand, collection aider la vie, éditions Laffont, Paris, 1995.

de Hennezel, Marie et Leloup, Jean-Yves: *L'art de mourir*, traditions religieuses et spiritualité humaniste face à la mort aujourdhui, collection Aider la Vie, aux éditions Robert Laffont, Paris, 1997.

Déchaux, Jean-Hugues et collaborateurs: *Les familles face à la mort*, éditions L'Esprit du Temps, psychologie, Paris, 1998.

Diricq, Catherine et Payen, Marie-Christine: *L'euthanasie (à partir de quatre histoires vécues)*, éditions Labor, Bruxelles, 2001.

Edelman, Hope: *La mort d'une mère (Le témoignage de celles qui ont perdu leur mère trop tôt)*, traduit de l'américain par Hélène Collon, éditions Robert Laffont, Paris, 1996.

Encrevé-Lambert, M-H., *La mort (pour mieux répondre aux questions de vos enfants)*, Bayard Éditions , 1999.

Fauré, Christophe: *Vivre le deuil au jour le jour (La perte d'une personne proche)*, éditions Albin Michel, Paris, 1995.

Fischer, Gustave-Nicolas: *Le ressort invisible (vivre l'extrême)*, Seuil, Paris, 1994.

Fischer, Gustave-Nicolas: *Les blessures psychiques (la force de revivre)*, Odile Jacob, Paris, Février 2003.

Frankl, Viktor E.: *Découvrir un sens à sa vie*, éditions de l'Homme, Montréal, 1988.

Gauvin, Andrée et Régnier, Roger: *L'accompagnement au soir de la vie*, Le Jour éditeur, Montréal, 1992.

Gauvin, Andrée et Régnier, Roger: *Vouloir vivre*, Le Jour éditeur, Montréal, 1994.

Gratton, Francine: *Les suicides d'être de jeunes québécois*, Presses de l'Université du Québec, 1997.

Groleau, Gaétane: *Ma sœur, ma lumière (Accueillir la mort d'un être cher)*, éditions du Roseau, Montréal, 2002.

Haman, Aimé et collaborateurs: *L'abandon corporel (au risque d'être soi)*, collection Partage, éditions Stanké, Montréal, 1993.

Hanus, Michel: *La résilience, à quel prix? (survivre et rebondir)*, éditions Maloine, Paris, 2001.

Hanus, Michel et Sourkes, Barbara: *Les enfants en deuil (Portraits du chagrin)*, collection Face à la mort, éditions Frison-Roche, Paris, 1997.

Jacques, Josée: P*sychologie de la mort et du deuil*, éditions Modulo, Montréal, 1998. Psychologie de la mort et du deuil permet d'intervenir efficacement auprès des endeuillés ou de mieux vivre ses propres pertes.

Keirse, Manu: *Faire son deuil, vivre un chagrin*. Un guide pour les proches et les professionnels. Traduit du néerlandais par Nicole Dedonder et Philippe Kinoo, éditions De Boeck & Belin, Bruxelles, 2000.

Kübler-Ross, Elisabeth: *Mémoires de vie, mémoires d'éternité*, traduit de l'américain par Loïc Cohen, éditions JC Lattès, France, 1997. Cette thérapeute célèbre dans le monde entier, a transformé notre perception de la mort.

Kübler-Ross, Elisabeth: *Les derniers instants de la vie*, Labor et Fides, Genève, 1975.

Labrèche, Jean-Marc: *Les pas...sages d'un pèlerin*, (Saint-Jacques-de-Compostelle), éditions de Mortagne, Boucherville, Qc, 2003.

Lamarche, Constance: *Bleu soleil, (Raconter la mort et l'amitié)*, préface de Johanne de Montigny, éditions Fides, Montréal, 2002.

Le Breton, David: *Passions du risque*, Éditions Métaillé, collection Traversées, Paris, 1991.

Ledoux, Johanne: *Guérir sans guerre*, collection advenir, éditions Flammarion, Montréal, 2000. La réaction courante face au cancer est la déclaration de guerre. Johanne Ledoux a plutôt choisi de guérir sans se battre.

Lenoir, Frédéric et Tardan-Masquelier, Ysé: *Un collectif sur Le livre des sagesses (L'aventure spirituelle de l'humanité)*, Bayard, Paris, 2002.

Levy, Alexander: *Surmonter le deuil de ses parents*, (Traduit de l'américain par Larry Cohen), InterÉditions, Paris, 2000.

Longo, Louise: *Elle dort dans la mer*, éditions Fixot, Paris, 1996. Une histoire de pertes tragiques et de survie exceptionnelle.

Masson-Bourque, Chantal: *Les cahiers de soins palliatifs, À travers le mur de la mort, un fil d'amour important*, (Les proches), volume 2, numéro1, Les publications du Québec, 2001, p.3-16.

Monbourquette, Jean: *Comment pardonner? (Pardonner pour guérir, guérir pour pardonner)* Éditions Novalis, Ottawa, 1992.

Moyse, Danielle: *Bien naître, bien être, bien mourir (propos sur l'eugénisme et l'euthanasie)*, collection réponses philosophiques, éditions érès, France, 2001.

Néron, Sylvain: *L'art et les voix de l'accompagnement (À l'écoute de la souffrance et de la maladie)*, éditions Médiaspaul, Montréal, 1995.

Nouwen, Henri J. M.: *Lettre de réconfort*, Traduit de l'anglais par Françoise Dumas, éditions Bellarmin, bibliothèque nationale du Québec, 1997.

Olivier, Clément: *L'amour assassin*, Stanké, Montréal, 1994. (Postface, Retrouver l'espoir; de Johanne de Montigny).

Ouimet, Marie-Andrée: *De quelques difficultés d'être médecin en soins palliatifs*, Les cahiers de soins palliatifs, volume 4, numéro 1, Au quotidien, Les publications du Québec (1-800-463-2100), p.65-71.

Ouvrage collectif: *La résilience: le réalisme de l'espérance*, éditions érès, France, 2001.

Ouvrage collectif: *Jamais de la vie, (écrits et images sur les pertes et les deuils)*, éditions du passage, Montréal, 2001.

Pauchant, Thierry C. et collaborateurs: *Guérir la santé (un dialogue de groupe sur le sens du travail, les valeurs et l'éthique dans le réseau de la santé)*, éditions Fides, Presses HEC, Montréal, 2002.

Pauchant, Thierry C.: *La quête du sens (Gérer nos organisations pour la santé des personnes de nos sociétés et de la nature)*, éditions Québec/Amérique, presses HEC, Montréal, 1996.

Pelletier, Renée: *Avant de tourner la page (Suivre le courant de la vie)*, Médiaspaul, Montréal, 2002.

Père Amédée et Dominique Megglé: *Le moine et le psychiatre (Entretiens sur le bonheur)*, Bayard éditions, Centurion, Paris, 1995.

Pinard, Suzanne: *De l'autre côté des larmes (Guide pour une traversée consciente du deuil)*, Les éditions de Mortagne, Boucherville, 1997.

Plante, Anne: *Histoire de Jonathan (Pour expliquer la mort d'un enfant dans la famille)*, éditions Paulines, Montréal, 1992.

Plante, Anne: *Histoire de Josée (Pour expliquer la mort à un enfant qui va perdre un parent)*, éditions Paulines, Montréal, 1992.

Portelance, Colette: *La relation d'aide et amour de soi (L'approche non directive créatrice en psychothérapie et en pédagogie)*, les éditions du CRAM, Montréal, 1991.

Potvin, Magella: *Épreuve, souffrance et maladies (À quelles conditions peuvent-elles nous faire grandir?)*, les éditions CPS, Chicoutimi, Qc, 2001. Pour obtenir ce livre, il faut communiquer avec l'auteur au (418) 543-1996.

Régnier, Roger et Saint-Pierre, Line: *Surmonter l'épreuve du deuil*, les éditions Quebecor, Montréal, 1995.

Salomé, Jacques: *Apprivoiser la tendresse (L'amour crée la tendresse qui survit à l'amour)*, éditions Jouvence, Suisse, 1988.

Salomé, Jacques: *"Je mourrai avec mes blessures" (Entretiens avec Jef Gianadda)*, jouvence éditions, Genève, 2001.

Séguin, Monique et Fréchette, Lucie: *Le deuil*, les éditions Logiques, Montréal, 1995. Perdre un être cher nous plonge dans un véritable orage d'émotions.

Séguin, Monique, Philippe Huon et collaborateurs: *Le suicide (comment prévenir, comment intervenir)*, collection mieux vivre, les éditions Logiques, Montréal, 1999.

Singer, Christiane: *Les sept nuits de la reine*, Éditions Albin Michel, Paris, 2002.

Singer, Christine: *Où cours-tu? Ne sais-tu pas que le ciel est en toi?* Éditions Albin Michel, Paris, 2001.

Siffert, Martine: *Soigner la vie*, éditions Seli Arslan, Paris, 2002.

Talec, Pierre: *La sérénité*, Bayard Éditions, Centurion, Paris, 1993.

Thuillier, Pierre: *La grande implosion (Rapport sur l'effondrement de l'occident 1999-2002)*, éditions Fayard, Paris, 1995.

Viorst, Judith: *Les renoncements nécessaires (tout ce qu'il faut abandonner en route pour devenir adulte)*, Robert Laffont, Paris 1988.

Voyer, Jacques: *Que Freud me pardonne*, éditions Libre expression, Montréal, 2002. Celui que l'on connaît comme le "psychiatre en fauteuil roulant" raconte son périple intérieur depuis le moment où, à 21 ans, un accident le rendait quadriplégique. Son livre relate les étapes psychologiques qui ont marqué sa remontée vers le bonheur.

Zorn, Fritz: *Mars*, Gallimard, Paris, 1977.

LES RESSOURCES SUR INTERNET POUR LES SOINS PALLIATIFS ET LE DEUIL

Alexandra Kennedy [sur internet @ http://www.alexandrakennedy.com]

Bereaved Families Online Support Centre
[sur internet @ http://www.bereavedfamilies.net]

Bereavement [sur internet @ http://www.bereavementselfhelp.victoria.bc.ca]

Capital Health Regional Palliative Care Program
[www.palliative.org/PC/GeneralPublicldx.html]

Caregiver Network (canadien) [www.caregiver.on.ca:80/index]

Caregiver Survival Resources (américain) [www.caregiver911.com]

Canadian Funeral Home Directory offering various support resources
[sur internet @ http://www.generations.on.ca./index.html]

Association canadienne de soins palliatifs
[sur internet @ http://www.chpca.net]

Canuck Place Children's Hospice (Colombie-Britannique)
[sur internet @ http://www.canuckplace.com]

Center for Grieving Children [sur internet @ http://www.cgcmaine.org]

Compassion Books - une source sur internet de plus de 400 livres pour les
enfants et les adultes en deuil
[sur internet @ http://www.compassionbooks.com]

Crisis, Grief and Healing [sur internet @ http://www.webhealing.com]

Dying Well (américain) [sur internet @ http://dyingwell.com]

ElderWeb (américain) [sur internet @ http://www.elderweb.com]

Family Caregiver Alliance [sur internet @ http://www.caregiver.org]

Fernside (soutien pour les enfants et les familles en deuil)
[sur internet @ http://www.fernside.org]

Genesis Bereavement Centres [Online @ http://www.genesis-resources.com]

Grief Circle [sur internet @ http://www.griefcircle.org]

Grief, Loss & Recovery [sur internet @ http://www.grieflossrecovery.com]

Grieving Children [sur internet @ http://www.grievingchildren.com]

Hospice Association of Ontario [sur internet @ http://www.hospice.on.ca]

Hospice Net, For Patients and Families Facing Life-Threatening Illness [www.hospicenet.org]

Hospice Web [sur internet @ http://www.hospiceweb.com]

Journey of Hearts [sur internet @ http://www.journeyofhearts.org]

Leçons de vie [sur internet @ http://www.living-lessons.org]

Mount, B. M. (1999). The ACP home care guide for advanced cancer. American College of Physicians [sur internet @ http://www.acponline.org/public/h_care/contents.htm]

Mourning Star Centre (soutien pour les enfants et les familles en deuil) [sur internet @ http://www.mourningstar.org]

van Bommel, H. (2002). Family Hospice Care [sur internet @ http://www.legacies.ca/Family_Hospice_Care%20Index.htm]

What Do I Do Now? (conseils sur les mesuers à prendre après la mort) [sur internet @ http://www.nsnet.org/bereaved]

Wisdom of the World (ressources variées) [sur internet @ http://www.gracefulpassages.com]

LES RÉFÉRENCES UTILISÉES POUR PRÉPARER CE LIVRE

Berry, L. & Schneider, T. (1997). *What do I do now?* Red Deer, AB: Eventide Funeral Chapels.

Buckman, R. (1988). *I don't know what to say.* Toronto, ON: Key Porter Books Limited.

Société canadienne du cancer. (1983). *Nutrition for people with cancer.* Toronto, ON: Department of Nutrition at the Ontario Cancer Institute, Princess Margaret Hospital and the Canadian Cancer Society.

Société canadienne du cancer. (1985). *Taking time: Support for people living with cancer and people who care about them.* Bethesda, MD: National Cancer Institute.

Association canadienne de soins palliatifs et Association canadienne de soins et services communautaires. (1998). *Training manual for support workers in palliative care.* Ottawa, ON: Association canadienne de soins palliatifs.

Cantwell, P., MacKay, S., Macmillan, K., Turco, S., McKinnon, S., Read-Paul, L. (1988). 99 common questions (and answers) about palliative care: a nurse's handbook. Edmonton, AB: Regional Palliative Care Program, Capital Health Authority.

Cassileth, B.R. (Ed.). (1986). *Caring for the terminally ill patient at home: A guide for family caregivers.* University of Pennsylvania Cancer Centre Hospice and Homecare Program.

Capital Health Home Care (1996). *Changing your infusion tubing and Preloading a single insulin.*

Deachman, M., & Howell, D. (1991). *Supportive care at home: A guide for terminally ill patients and their families.* Markham, ON: Knoll Pharmaceuticals Canada.

Ferris, F. D., Flannery, J. S., McNeal, H. B., Morissette, M. R., Cameron, R., & Bally, G. A. (1995). *Module 4: Palliative Care. A comprehensive guide for the care of persons with HIV disease.* Toronto, ON: Mount Sinai Hospital and Casey House Hospice.

Hopewell House. (1999). *Guide through the journey of dying.* [sur internet]. Disponible: www.hospiceweb.com/states/oregon/hopewell/journey.htm

Jones, C. M., & Pegis, J. (1994). *The palliative patient: Principles of treatment.* Markham, ON: Knoll Pharma Inc.

Latimer, E. J. (1996). *Easing the hurt: A handbook of comfort for families and friends of people who are seriously ill.* Hamilton, ON: Purdue Frederick.

Mertick, E. (1991). *Yours, mine and our children's grief: A parent's guide.* Calgary, AB: Alberta Funeral Service Association.

Mount, B. M. (1999). *The ACP home care guide for advanced cancer.* American College of Physicians. [Online]. Disponible : www.acponline.org/public/h_care/contents.htm

Pereira, J., & Bruera, E. (1997). *The Edmonton aid to palliative care.* Edmonton, AB: Division of Palliative Care, University of Alberta.

White, P. (1986). *Home care of the hospice patient: An informational/ instructional booklet for caregivers in the home.* Chicago, IL: Rush-Presbyterian-St. Luke's Medical Centre.

van Bommel, H. (1999). *Caring for loved ones at home.* Scarborough, ON: Saint Elizabeth Health Care Foundation; Resources Supporting Family and Community Legacies Inc.

Victoria Hospice Society. (1993). *Palliative care at home.* Volume II. Victoria, BC: Victoria Hospice Society.

Victoria Hospice Society. (1995). *Palliative care for home support workers.* Volume III. Victoria, BC: Victoria Hospice Society.

L'AIDE FINANCIÈRE

Il y a de nombreuses ressources disponibles pour vous aider sur le plan financier pendant que vous soignez la personne chère en phase terminale. Demandez à un membre de votre équipe de santé des conseils sur les possibilités suivantes et consultez l'annexe VII où vous trouverez des renseignements sur les sources provinciales d'aide financière.

Régime de pensions du Canada (RPC) ou du Québec (RRQ)

Une pension d'incapacité peut être versée à toute personne de moins de 65 ans qui a contribué au Régime de pensions du Canada ou du Québec pendant une période spécifiée et présente une incapacité grave et prolongée.

Téléphone : 1-800-277-9915 (pour le RPC) (français)

1-800-277-9914 (for RPC) (English)

1-800-363-3911 ou site Web : www.rrq.gouv.qc.ca (pour le RRQ)

Le supplément de revenu garanti

Vous êtes admissible à ce supplément si vous avez plus de 65 ans et dépendez de votre revenu. Par exemple, si votre seul revenu c'est la Sécurité de la vieillesse, vous serez probablement admissible au supplément.

Téléphone : 1-800-277-9914

Sécurité de la vieillesse

Si vous ou la personne que vous soignez atteint son 65e anniversaire de naissance pendant cette période de soins palliatifs, sachez que la Sécurité de la vieillesse n'est pas versée automatiquement. Une demande doit être faite six mois avant le 65e anniversaire de naissance et vous pourriez devoir commencer ce processus.

Téléphone : 1-800-277-9914 (anglais)

1-800-277-9915 (français)

Régime de pensions du Canada, 1-800-277-9915

Dans la province de Québec, vous êtes admissible à la Régie des rentes du Québec si vous avez travaillé dans cette province pendant votre vie et si vous avez payé vos impôts au gouvernement québécois. Téléphonez à la Régie des rentes du Québec (418) 643-5185 ou www.rrq.gouv.qc.ca.

Assistance sociale

Si vous recevez une assistance sociale, vous pourriez être admissible à une aide financière pour vos dépenses médicales, vos ordonnances et vos besoins spéciaux en matière de santé. Si vous ne recevez pas déjà une assistance sociale mais que votre revenu est faible, vous pourriez également être en mesure d'obtenir de l'aide pour certaines dépenses. Le numéro de téléphone du bureau le plus près de chez vous sera indiqué à l'annuaire de téléphone sous la liste provinciale pour les ressources humaines, ou voir annexe VII pour obtenir votre numéro de téléphone provincial.

L'assurance-emploi

Vous pourriez être admissible à l'assurance-emploi si vous y avez contribué pendant les 52 dernières semaines. Les exigences varient selon l'endroit où vous habitez au Canada et le taux de chômage dans votre région économique au moment où vous remplissez la demande. Pour obtenir des informations pour savoir si vous êtes admissible ou non :

Téléphone : 1-800-206-7218

    1-800-808-6352 (Québec)

Ministère des Anciens combattants

Si la personne chère est un ancien combattant, vous pourriez avoir droit à :

• une allocation pour soins versée pendant la maladie.

• une pension d'incapacité.

• des subventions pour l'équipement et les modifications à apporter au logement.

Veuillez contacter un conseiller du ministère des Anciens combattants pour discuter de votre situation. Vous devrez connaître le numéro de service de la personne.

Téléphone : 1-800-665-3420

    1-800-291-0471 (Québec)

Assurance privée et régime d'assurance santé supplémentaires

Vérifiez les documents en votre possession relatifs à l'assurance et la garantie supplémentaire pour soins de santé. Les frais d'ambulance, de soins infirmiers, d'aide de soutien à domicile, de médicaments et d'oxygène pourraient être couverts.

Couverture pour médicaments de soins palliatifs

Certaines provinces subventionnent le coût de certains médicaments utilisés par des personnes recevant des soins palliatifs à la maison. Un médecin doit confirmer sur un formulaire de demande que des soins palliatifs sont administrés. Quand la demande est acceptée, vous pourrez vous procurer les médicaments nécessaires à votre pharmacie locale. Voir annexe VII pour obtenir le numéro de téléphone si ceci est disponible dans votre province.

Les polices d'assurance-vie

Si le membre de la famille présente une maladie grave, il pourrait être possible de demander à ce que les primes soient supprimées sans que la police s'en trouve affectée. Ceci nécessite une demande écrite et une preuve médicale de la maladie.

Associations, loges et syndicats

Vérifiez auprès de la loge et autres organismes auxquels appartient la personne pour savoir s'ils fournissent une aide financière pendant la maladie du membre.

Société canadienne du cancer et Fondation québécoise du cancer (au Québec)

Ces groupes fournissent une aide financière pour certains médicaments. Ils offrent aussi une aide sur le plan du transport et du logement. Un examen des ressources détermine l'admissibilité à ces programmes. Composez les numéros indiqués dans votre annuaire téléphonique ou

Téléphone : 1-888-939-3333 (Canada)

1-877-336-4443 (Québec)

L'Agence des douanes et du revenu du Canada et le ministère du revenu du Québec

Quand une personne est invalide depuis un certain temps, il pourrait y avoir des déductions d'impôt pour cette personne, ses dépendants et ses dépenses médicales. Les résidents du Québec devraient contacter ces deux ministères.

Téléphone : 1-800-959-8281 (Canada

Téléphone : 1-888-440-2500 (Québec)

Programmes de prestation de revenu supplémentaires pour les personnes handicapées

Certaines provinces fournissent une aide financière aux adultes qui présentent une incapacité grave et permanente. Le montant reçu dépend du revenu. Ce ne sont pas des programmes médicaux. Les gens reçoivent une aide si l'incapacité est permanente, ce qui signifie qu'ils ont épuisé toutes les occasions de réadaptation, de formation et de travail. Voir annexe VII pour obtenir le numéro de téléphone si ce programme existe dans votre province.

Le Fonds du souvenir

Si la personne chère n'a pas laissé d'argent et (ou) recevait une pension de guerre et était un ancien combattant de la Première, de la Seconde guerre mondiale ou de la Campagne de Corée, les frais d'enterrement pourraient être couverts par le Fonds du souvenir. Toute section de la Légion royale canadienne (adressez-vous à l'agent responsable) ou du ministère des Anciens combattants peut vous aider vous ou le directeur de funérailles à remplir le formulaire si vous fournissez le numéro de régiment. Voir l'annexe VII pour obtenir la liste provinciale des Fonds du souvenir et contacter ce fonds avant de prendre les dispositions nécessaires aux funérailles. Sur le plan fédéral, le site Web est: http://www.lastpostfund.ca et le courrier électronique : info@lastpostfund.ca.

Assistance pour les besoins spéciaux des personnes âgées

Certaines provinces offrent un programme qui fournit une assistance financière aux personnes âgées à faible revenu ayant des difficultés financières. Voir l'annexe VII pour obtenir le numéro de téléphone si ceci est disponible dans votre province.

LES AFFAIRES JURIDIQUES

Il est parfois nécessaire pour une personne d'agir au nom d'une autre. Il existe trois catégories de documents juridiques qui permettent le soin d'une personne invalide. Ces documents sont la procuration perpétuelle, la tutelle et le mandat du fiduciaire. La quatrième catégorie, c'est le testament biologique. Ceci n'a pas valeur juridique mais représente les souhaits de la personne.

La procuration perpétuelle

Une procuration perpétuelle est un document qui nomme une personne pour agir dans le domaine des affaires financières au nom de quelqu'un d'autre invalide sur le plan physique ou mental. La procuration devrait être préparée bien en avance comme mesure de prévention. On peut l'obtenir par le biais d'un avocat ou d'un notaire. La personne donnant la permission doit être saine de corps et d'esprit, alerte et capable de prendre des décisions. Sinon, la personne agissant pour une autre prend des mesures sans autorité. L'avantage de la procuration, c'est qu'elle donne à la personne mourante la chance de décider qui gérera ses affaires financières.

La tutelle

Cet ordre est accordé par les tribunaux dans le cadre de la loi concernant adultes dépendants. Quand une personne n'est pas en mesure de prendre des décisions comme où vivre, prendre des décisions en matière de santé et de besoins quotidiens, la tutelle permet à une autre personne de prendre ces décisions. Le tuteur doit décider ce qui est dans le meilleur intérêt de la personne, encourager son autonomie et agir de la manière la moins restreignante possible.

Le mandat du fiduciaire

C'est un ordre conformément à la loi concernant adultes dépendants qui donne à la personne permission de gérer les affaires financières d'une autre. Le fiduciaire doit prendre le contrôle de ces affaires quand l'état mental d'une personne empêche une prise de décision judicieuse. Le fiduciaire a l'autorité juridique de gérer, administrer, vendre et disposer des biens de la personne tout comme elle-même aurait pu le faire. Des restrictions pourraient être imposées par le juge et le fiduciaire doit présenter un inventaire complet des biens et du passif.

Un fiduciaire et un tuteur pourraient être nécessaires tous les deux pour la même personne si sa capacité de prendre des décisions concernant sa vie quotidienne et ses finances est menacée. Pour obtenir un ordre de tutelle ou de mandat du fiduciaire, il est nécessaire d'obtenir l'aide d'un avocat et un rapport médical doit être présenté à la cour.

Le mandat du fiduciaire pour la sécurité de la vieillesse (procuration limitée)

Ce type de mandat du fiduciaire permet à quelqu'un de signer des chèques pour quelqu'un d'autre. Cela permet à une personne désignée d'encaisser ou de déposer des chèques pour une autre. Il n'est pas possible de faire un chèque pour retirer des fonds de ce compte.

Le testament biologique (testament de vie)

Le testament biologique explique les désirs de la personne concernant les soins médicaux si cette personne n'est pas en mesure de prendre des décisions. Bien que ce ne soit pas un document juridique, il vise à veiller à ce que les droits de la personne soient respectés. Les détails du testament biologique doivent être discutés en profondeur avec le médecin de famille et les membres de la famille immédiate. La plupart des gouvernements provinciaux ont préparé des brochures qui vous aideront à rédiger ce document. Voir l'annexe VII pour obtenir un numéro de téléphone si ce type d'aide existe dans votre province.

Mandat en cas d'incapacité (Québec seulement)

Ce document a valeur juridique, à condition que la personne ait été déclarée incompétente par le tribunal provincial. Ceci nécessite une documentation par des professionnels, comme des psychiatres et des travailleurs sociaux. Voir l'annexe VII (Le testament biologique) pour obtenir des informations pour le contact et davantage de renseignements sur ce document.

Pour obtenir de plus amples renseignements sur les sujets ci-dessus, adressez-vous à un membre de votre équipe de santé.

HORAIRE DES MÉDICAMENTS ADMINISTRÉS À DOMICILE

														Date
														Nom du médicament
														Dose
														Comment il est pris
														But
														0h MINUIT
														2h
														4h
														6h
														8h
														10h
														12h MIDI
														14h
														16h
														18h
														20h
														22h

Cette page peut être photocopiée

ÉCHELLE D'ÉVALUATION DES SYMPTÔMES

Veuillez encercler ce qui s'applique le mieux :

Pas de douleur	0	1	2	3	4	5	6	7	8	9	10	La pire douleur possible
Pas fatigué	0	1	2	3	4	5	6	7	8	9	10	La pire fatigue possible
Pas de nausée	0	1	2	3	4	5	6	7	8	9	10	La pire nausée possible
Pas de dépression	0	1	2	3	4	5	6	7	8	9	10	La pire dépression possible
Pas de somnolence	0	1	2	3	4	5	6	7	8	9	10	La pire somnolence possible
Pas d'anxiété	0	1	2	3	4	5	6	7	8	9	10	La pire anxiété possible
Meilleur appétit	0	1	2	3	4	5	6	7	8	9	10	Le plus mauvais appétit possible
Meilleur sentiment de bien-être	0	1	2	3	4	5	6	7	8	9	10	Le pire sentiment de bien-être possible
Pas d'essoufflement	0	1	2	3	4	5	6	7	8	9	10	Le pire essoufflement possible
Autre problème	0	1	2	3	4	5	6	7	8	9	10	

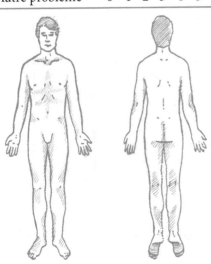

Indique sur cette illustration l'endroit de ta douleur

Cette page peut être photocopiée

FEUILLE D'ADMINISTRATION PIC DES MÉDICAMENTS

Date	Médicament	Dose prise	Comment Au départ	Dose donnée (écrire l'heure dans la case)	Notez quand l'analgésique pic a été administré.

Cette page peut être photocopiée

COMMENT INSÉRER ET RETIRER UNE AIGUILLE SOUS-CUTANÉE

COMMENT INSÉRER UNE AIGUILLE SOUS-CUTANÉE

Ce qui suit décrit comment faire une piqûre sous-cutanée et l'utiliser pour administrer des médicaments. Cela vous servira de rappel après l'enseignement fourni par votre infirmière de soins à domicile. Vous ne devrez jamais tenter une intervention à moins d'être certain de savoir exactement comment la faire. Si vous avez des doutes, attendez de recevoir de l'aide de votre infirmière de soins à domicile.

- Expliquez la raison de la piqûre sous-cutanée et rassurez la personne.
- Collectez l'équipement dont vous aurez besoin :
  - aiguille papillon (25 G)
  - ruban adhésif
  - pansement adhésif, sparadrap ou ruban adhésif seulement
  - écouvillon d'alcool isopropylique ou chlorhexidine à 0,5 % (en cas d'allergie à l'alcool ou au chlorhexidine, utilisez du povidone-iode)
  - il faut éviter tout contact avec le sang si on ne porte pas de gants stériles (comme infection par VIH).
- Avant de commencer, expliquez à la personne ce que vous allez lui faire.
- Lavez-vous les mains. Mettez les gants non stériles si vous les utilisez.
- Demandez à la personne de choisir le site et la direction de l'aiguille. Sachez que le placement peut affecter la capacité de la personne de bouger librement.
- Choisissez le site. Les sites suggérés sont le haut de la poitrine (évitez le tissu des seins), au-dessous de l'omoplate à l'estomac et à la cuisse (pas la cuisse si la personne est active). Le haut de la poitrine est la région la plus souvent utilisée.
- Choisissez la direction de l'aiguille (voir figures 28 et 29).

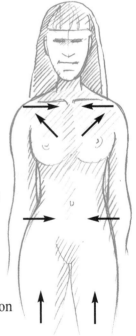

figure 28

- À l'abdomen, dirigez l'aiguille en travers de l'abdomen pour éviter toute douleur quand la personne s'assoit ou se penche.
- À la poitrine, l'aiguille peut être placée dans n'importe quelle direction. Évitez le tissu des seins car la solution pourrait rester à cet endroit et ne pas être aussi efficace.
- Il ne faut pas placer l'aiguille à l'aisselle parce que la solution ne sera pas aussi bien absorbée et que l'aiguille sera inconfortable.
- Nettoyez le site avec un écouvillon d'alcool isopropylique à 70 % ou de chlorhexidine à 0,5 %. Faites des mouvements circulaires en partant du centre où vous allez placer l'aiguille. Laissez la peau sécher pendant 30 secondes.

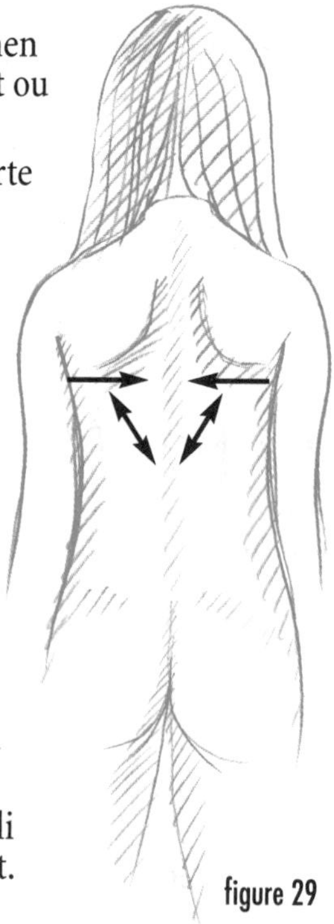

• Insérez l'aiguille papillon (voir figure 30).
  - Pincez délicatement une quantité généreuse de tissu entre l'index et le pouce.
  - Insérez l'aiguille à un angle de 45 degrés dans le repli du tissu que vous tenez, le côté en biseau vers le haut.

figure 29

• Recouvrez le site d'insertion d'un sparadrap ou d'un pansement transparent adhésif pour couvrir les ailes en papillon de l'aiguille et le site. Il est important de faire ceci pour garder l'aiguille en place pour qu'elle ne puisse pas se déplacer dans la veine (voir figure 31a).

ou

• Posez du ruban adhésif sur l'aiguille papillon en utilisant une configuration en H (voir figure 31b).

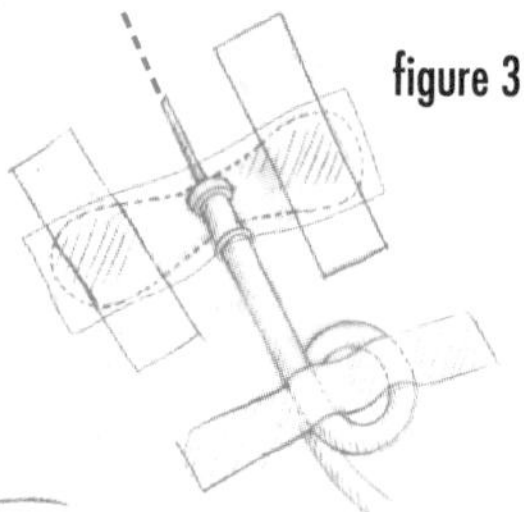

figure 31b

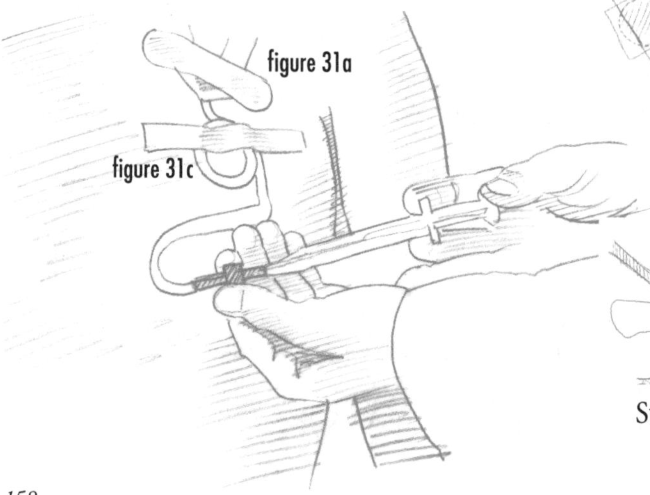

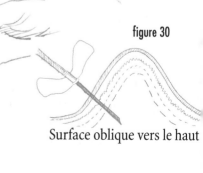

figure 31a

figure 31c

figure 30

Surface oblique vers le haut

- Avec l'une ou l'autre des méthodes ci-dessus, repliez la tubulure sur elle-même et fixez-la en place avec du ruban adhésif sur le pansement ou la peau (voir figure 31c).
- Regardez au bout de la tubulure de l'aiguille. Si la tubulure se termine par un bouchon en caoutchouc, vous pouvez faire l'injection. S'il y a un bouchon en plastique au bout de la tubulure, vous devrez placer le bouchon en caoutchouc (Heparin Lok[MC]) pour faire des injections à cet endroit (voir fig. 31d).
- Une fois l'aiguille insérée, il ne devrait plus y avoir d'inconfort.

COMMENT RETIRER UNE AIGUILLE INSÉRÉE PAR VOIE SOUS-CUTANÉE

- Enlevez le ruban adhésif et le pansement à l'endroit où l'aiguille est insérée dans la peau tout en retenant de l'autre main l'aiguille en place.
- Pincez les ailes de l'aiguille papillon pour les relever, en les tenant entre l'index et le pouce et tirez sur l'aiguille.
- Maintenez un morceau de gaze en place sur le site au cas où du liquide fuirait.
- Mettez l'aiguille au rebut dans un contenant à l'épreuve des piqûres et muni d'un couvercle (voir prévention des infections, p. 30).

LA PRÉPARATION DU MÉDICAMENT

L'aiguille sous-cutanée en place, vous êtes prêt à administrer les médicaments dans le bouchon situé au bout de la tubulure de l'aiguille.

Ce qu'il faut savoir

Parlez avec votre pharmacien ou votre infirmière de soins à domicile de la manière dont le médicament sera administré. On précharge parfois le médicament dans les seringues.

- Si des doses différentes du médicament sont nécessaires, l'infirmière ou le pharmacien pourrait vous enseigner comment aspirer le médicament dans la seringue. Si on vous donne la seringue avec le médicament qui y est déjà placé, sautez ce qui suit pour aller directement à la section sur la manière d'administrer les injections.
- Lavez-vous les mains.
- Rassemblez l'équipement dont vous aurez besoin :
  - l'ampoule ou le flacon de médicament
  - la seringue et l'aiguille
  - une boule d'ouate imprégnée d'alcool
  - un contenant pour y placer l'aiguille et le verre après utilisation

- Une ampoule est un petit contenant de verre à bout pointu conçue pour administrer seulement une dose de médicament.

* Tapotez légèrement le haut de l'ampoule du doigt pour vous assurer que tout le médicament est au fond (voir figure 32).

* Enveloppez le haut de l'ampoule au « cou » avec une boule d'ouate imprégnée d'alcool.

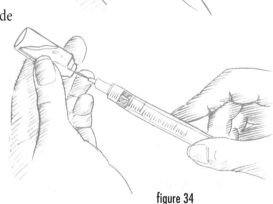

figure 32

* Coupez rapidement le cou de l'ampoule dans la direction opposée à vous. Ceci la cassera pour l'ouvrir (voir figure 33).

* Placez le haut de l'ampoule dans le contenant pour mettre le matériel au rebut. (Gardez le paquet de boules d'ouate imprégnées d'alcool.)

* Enlevez le bouchon se trouvant sur l'aiguille de la seringue. Faite attention de ne pas toucher l'aiguille.

figure 33

* Tenez l'ampoule de votre main non dominante, la tête en bas, à un angle léger. Ne vous inquiétez pas, le médicament restera dans l'ampoule.

* Placez l'aiguille au centre de l'ampoule. Aspirez le médicament dans la seringue en tirant lentement sur le piston de la seringue (voir figure 34).

* Tenez la seringue l'aiguille pointée vers le plafond, en faisant de nouveau attention de ne pas toucher l'aiguille.

figure 34

* Placez l'ampoule dans le contenant pour matériel au rebut.

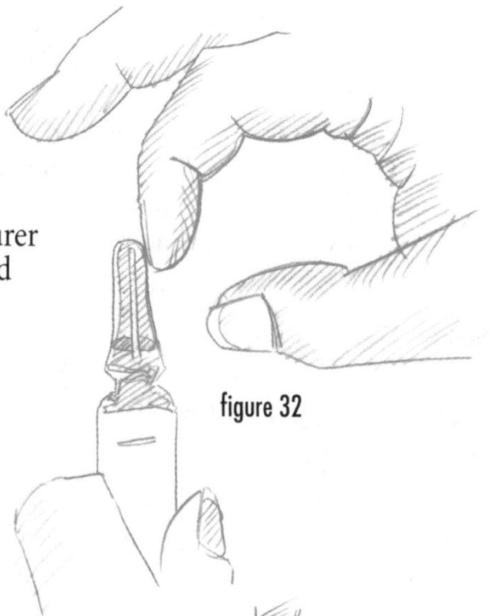

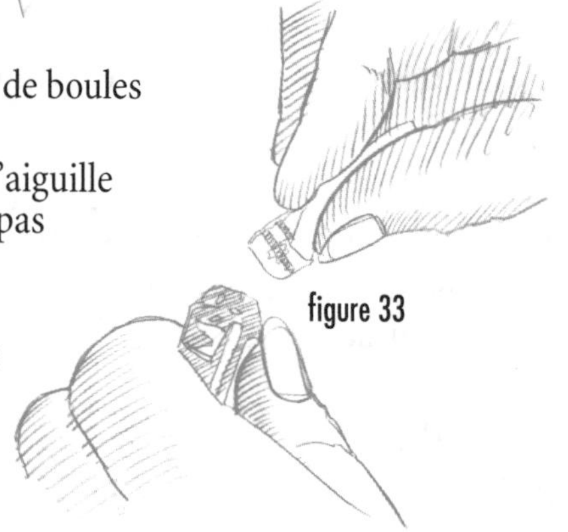

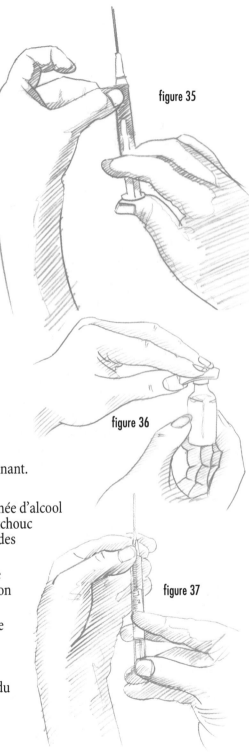

figure 35

figure 36

figure 37

- Tapotez de votre index la seringue pour faire sortir toutes les bulles d'air qui pourraient se trouver dans la seringue. Pressez lentement sur le piston de la seringue pour vous débarrasser des bulles (voir figure 35).

- Regardez les marques noires et les chiffres indiqués sur la seringue. Poussez lentement le piston de la seringue vers le haut jusqu'à ce que vous ayez atteint la bonne dose pour la personne. Votre pharmacien ou votre infirmière de soins à domicile vous dira quelle dose de médicament lui administrer.

- Vous êtes maintenant prêt à administrer le médicament à la personne. (Sautez la section sur les flacons et passez directement à la manière de faire une injection.)

• Un flacon est une petite bouteille de verre munie d'un bouchon en caoutchouc conçue pour que vous puissiez donner plusieurs doses du médicament à partir du même contenant.

- Placez le flacon sur le comptoir.

- Utilisez une boule d'ouate imprégnée d'alcool pour nettoyer le bouchon en caoutchouc du flacon. Laissez sécher 30 secondes (voir figure 36).

- Enlevez le bouchon de l'aiguille de la seringue, en faisant bien attention de ne pas toucher l'aiguille.

- Tenez la seringue, l'aiguille pointée vers le plafond. Tirez sur le piston pour faire entrer autant d'air dans la seringue que la quantité du médicament que vous prélèverez du flacon. Votre pharmacien ou votre infirmière vous dira quelle est la bonne dose de médicament (voir figure 37).

◆ Placez l'aiguille au centre du bouchon en caoutchouc du flacon. Injectez l'air de la seringue dans le flacon. Vous sentirez une pression sur le piston de la seringue (voir figures 38 et 39).

◆ Placez le flacon tête en bas avec l'aiguille dans le bouchon (voir figure 40).

◆ Tirez sur l'aiguille jusqu'à ce qu'elle se trouve au-dessous du niveau de liquide dans le flacon.

◆ Regardez les marques noires et les chiffres sur la seringue. Tirez délicatement sur le piston de la seringue jusqu'à ce que vous ayez un peu plus de la bonne dose de médicament dans la seringue. Ceci compense l'air qui pourrait se trouver dans la seringue. Enlevez l'aiguille du flacon.

◆ Tapotez délicatement la seringue du doigt pour faire sortir toutes les bulles d'air de la seringue vers le haut. Pressez lentement sur le piston de la seringue pour vous débarrasser des bulles d'air et continuez à pousser jusqu'à ce que vous ayez la bonne dose pour la personne (voir figure 41).

• Souvenez-vous que le flacon peut être réutilisé. Après avoir donné l'injection, conservez le flacon selon les instructions du pharmacien.

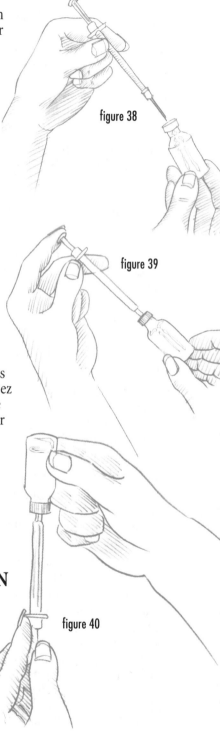

figure 38

figure 39

figure 40

COMMENT FAIRE L'INJECTION

Si vous donnez l'injection lentement par le bouchon en caoutchouc, la personne ne devrait pas présenter d'inconfort. Certains médicaments peuvent piquer un peu et ralentir l'injection pourrait aider.

- Nettoyez le bouchon d'injection en caoutchouc sur l'aiguille sous-cutanée de la personne, à l'aide d'une boule d'ouate imprégnée d'alcool. Laissez sécher pendant 30 secondes.
- Piquez l'aiguille de la seringue au centre du bouchon d'injection. Poussez délicatement le piston de la seringue, pour injecter le médicament dans le corps de la personne (voir figure 42).
- Une fois tout le médicament administré, enlevez la seringue et l'aiguille.
- Placez la seringue et l'aiguille utilisées dans le contenant pour mise au rebut.
- Conservez le flacon conformément aux instructions du pharmacien.

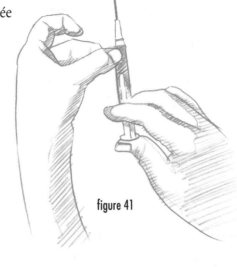

figure 41

figure 42

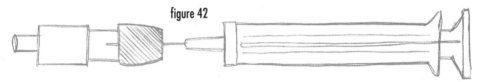

COMMENT COMMENCER UNE HYPODERMOCLYSE

L'hypodermoclyse est administrée par une aiguille sous-cutanée. Le mode d'insertion de l'aiguille est le même que celui décrit à la section ci-dessus.

- Le médecin prescrira le type de solution et le pharmacien la préparera. (Une solution administrée de cette manière est appelée perfusion.)
- Rassemblez l'équipement dont vous aurez besoin :
  - ◆ solution
  - ◆ tubulure IV
  - ◆ potence IV ou quelque chose pour suspendre le sac de solution
- Examinez l'endroit d'insertion de l'aiguille sous-cutanée pour déterminer s'il y a :
  - ◆ rougeur ◆ douleur ◆ bleu
  - ◆ enflure ◆ fuite
- Avertissez l'infirmière de soins à domicile si c'est le cas.
- Ouvrez la trousse de perfusion.

- Déplacez la pince à roulette vers le haut de la tubulure, pour qu'elle se trouve près de la chambre compte-gouttes (partie bombée claire près du haut de la tubulure). Roulez la pince à roulette vers le bas pour qu'elle fasse pression sur la tubulure.
- Enlevez l'emballage protecteur du sac de solution et du perforateur de la tubulure. Faites bien attention de ne pas toucher l'ouverture.
- Placez le perforateur dans l'ouverture du sac de solution.

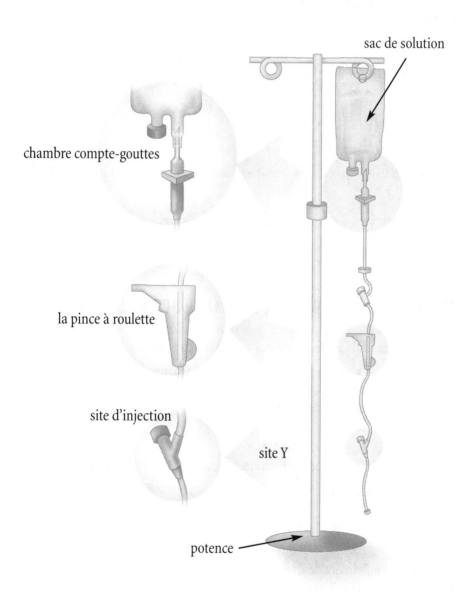

sac de solution

chambre compte-gouttes

la pince à roulette

site d'injection

site Y

potence

- Suspendez la solution à une potence IV. Une autre possibilité serait de placer un crochet au plafond ou sur le mur ou d'installer tout autre dispositif permettant de suspendre le sac de solution en hauteur par rapport à la personne. Ceci permettra à la solution de perfuser grâce à la pesanteur.

- Pressez sur la chambre compte-gouttes pour que la solution placée dans le sac s'y écoule goutte à goutte. La chambre compte-gouttes ne devrait être remplie qu'à moitié de solution. Si la chambre compte-gouttes déborde, enlevez le sac de solution de la potence et faites une pression pour faire revenir une partie de la solution de la chambre compte-gouttes dans le sac.

- Tenez le bout de la tubulure au-dessus d'un verre. Enlevez l'extrémité protectrice de la tubulure en faisant encore bien attention de ne pas toucher le bout. Placez le bouchon protecteur sur une surface propre. (Vous devrez réutiliser le bouchon.)

- Roulez vers le haut la pince à roulettes. Ceci empêchera la pince de faire pression sur la tubulure. La solution s'écoulera dans la tubulure et tombera goutte à goutte au bout.

- Roulez la pince à roulettes vers le bas pour faire pression sur la tubulure, une fois que la solution s'égouttera au bout.

- Placez le bouchon protecteur au bout de la tubulure.

- Placez le bout de la tubulure près du site sous-cutané de la personne.

- Enlevez le bouchon protecteur de la tubulure de l'aiguille sous-cutanée, en faisant bien attention de ne pas toucher au bout de la tubulure. Placez le bouchon sur une surface propre.

- Retirez le bouchon protecteur de la tubulure de solution. Prenez bien garde de ne pas toucher le bout. Placez le bouchon protecteur sur une surface propre.

- Connectez le bout de la tubulure à solution et la tubulure de l'aiguille sous-cutanée. Vissez-les ensemble délicatement.

- Déroulez la pince à roulettes et modifiez la rapidité d'écoulement de la solution en ajustant la pince. Votre infirmière de soins à domicile vous indiquera combien de gouttes doivent s'écouter par minute dans la chambre compte-gouttes.

- Connectez les deux bouchons protecteurs et placez-les dans un endroit propre et sécuritaire.

UNE FOIS QUE L'HYPODERMOCLYSE SERA TERMINÉE

La tubulure devra être déconnectée quand l'hypodermoclyse sera terminée.

- Roulez la pince à roulette vers le bas dans la position fermée.
- Déconnectez les deux bouchons protecteurs.
- Déconnectez la tubulure de solution de la tubulure de l'aiguille sous-cutanée. Faites bien attention de ne pas toucher les bouts. Demandez à la personne de tenir l'une des tubulures pour vous si possible.
- Replacez les bouchons protecteurs sur la tubulure de la solution et la tubulure de l'aiguille sous-cutanée. En replaçant les bouchons protecteurs, vous empêcherez les bactéries de pénétrer dans la tubulure.
- Laissez le sac de solution connecté à la tubulure IV jusqu'à ce que le prochain sac soit prêt à être perfusé.
- On peut utiliser la même tubulure IV pendant sept jours. Après sept jours, vous devrez utiliser une nouvelle trousse de perfusion.
- L'aiguille sous-cutanée peut rester en place jusqu'à ce qu'elle doive être changée, s'il y a rougeur, douleur, enflure, bleu ou fuite autour de l'aiguille. Votre infirmière de soins à domicile la changera ou vous pourrez le faire si on vous a enseigné comment vous y prendre.

CONTACTS PROVINCIAUX POUR OBTENIR DE PLUS AMPLES RENSEIGNEMENTS DANS LES DOMAINES MÉDICAL, JURIDIQUE ET FINANCIER

Les ressources indiquées dans cette annexe visent à aider les personnes qui ont déjà établi des contacts avec les soins palliatifs. Elles visent à compléter les informations qui peuvent être fournies par l'infirmière de soins à domicile. Si vous n'avez pas d'équipe de soutien en soins palliatifs et désirez de plus amples informations, contactez votre médecin de famille.

ALBERTA

Assurance-santé provinciale
Alberta Health Care Insurance Commission
Téléphone : Edmonton, 780-427-1432 ou ligne gratuite 310-0000 et
demandez le 427-1432.

Assistance sociale
Téléphone : Edmonton, 780-427-2734
Calgary, 403-297-4575
Ligne gratuite 310-0000 et demandez l'un des numéros ci-dessus.

Aide à la vie quotidienne
Alberta Aids to Daily Living
Téléphone : 780-427-2631 ou 780-427-0731
Ligne gratuite 310-000 et demandez l'un des numéros ci-dessus.

Couverture des médicaments de soins palliatifs

Téléphone : Edmonton, 780-422-0102

Calgary, 403-297-6411

Ligne gratuite 310-0000 et demandez l'un des numéros ci-dessus.

Programme de prestations de revenu supplémentaires pour les personnes handicapées

Assured Income for the Severely Handicapped (AISH)

Téléphone : Edmonton, 780-415-6300

Calgary, 403-297-8511

Ligne gratuite 310-0000 et demandez l'un des numéros ci-dessus.

Fonds du souvenir

Téléphone : Edmonton, 780-495-3766

Calgary, 403-244-6821

Ligne gratuite 1-888-495-3766

Assistance en matière de besoins spéciaux des personnes âgées

Téléphone : Edmonton, 780-427-1072 ou ligne gratuite 1-800-642-3853

Testament biologique

The Office of the Public Guardian

Téléphone : Edmonton, 780-427-7945

Calgary, 403-297-6251

Ligne gratuite 310-0000 et demandez l'un des numéros ci-dessus.

COLOMBIE-BRITANNIQUE

Assurance-santé provinciale

Medical Services Plan (MSP)

Téléphone : Vancouver, 604-683-7151

Victoria, 250-382-8406

Ligne gratuite 1-800-663-7100

Assistance sociale

Téléphone : 1-800-663-7867

BC Palliative Care Benefits Program
Téléphone : 604-806-8821 ou ligne gratuite 1-877-422-4722
Courriel : bchpca@direct.ca

Programme de prestations de revenu supplémentaires
Persons with Disabilities Benefits
Ministry of Human Resources
Téléphone : 1-800-663-7867

Fonds du souvenir
Téléphone : 604-527-3242 ou ligne gratuite 1-800-268-0248

Assistance en matière de besoins spéciaux pour les personnes âgées
Téléphone : 1-800-663-7867

Testament biologique et testament de vie
Un livret intitulé Let Me Decide (BC Special Edition - ISBN 968801080, Newgrange Press) est disponible.
Contacter : idecide@sympatico.ca.

Services juridiques
Legal Services Society Law Line
Téléphone : Vancouver, 604-687-4680 ou ligne gratuite 1-800-972-0956.

Coût des funérailles
Assistance par le ministère pour le coût des funérailles. Veuillez contacter votre centre local d'emploi et d'assistance.
Téléphone : Vancouver, 604-660-2421
Victoria, 250-387-6121
Ligne gratuite 1-800-663-7867.

Public Guardian and Trustee of BC
Adult Guardianship project
Téléphone : 604-775-0847
Site Web : www.trustee.bc.ca

MANITOBA

Assurance-santé provinciale
Manitoba Health
Téléphone : 204-786-7101 ou ligne gratuite 1-800-392-1207
A.T.S., pour les malentendants, composer le 1-204-774-8618

Assistance sociale
Manitoba Health, Human Resources
Téléphone : 204-948-4000 ou ligne gratuite 1-800-563-8793

Programme de médicaments pour soins palliatifs
Téléphone : 204-786-7141

Programme de prestations de revenu supplémentaires pour les personnes handicapées
Employment and Income Assistance
Téléphone : 204-945-4437

Fonds du souvenir
Téléphone : 204-233-3073 ou ligne gratuite 1-888-233-3073

Assistance en matière de besoins spéciaux des personnes âgées
Seniors Directorate
Téléphone : 204-945-6565

Testament biologique
Seniors Information Line
Téléphone : Winnipeg, 204-945-6565 ou ligne gratuite 1-800-665-6565

Office Of The Public Trustee
Téléphone : Winnipeg, 204-945-2700 ou ligne gratuite 1-800-282-8069, poste 2700

Liens pour la santé
(Questions sociales et de santé)
Fournit des informations sur les questions reliées à la santé
Téléphone : 204-788-8200 ou ligne gratuite 1-888-315-9257

NOUVEAU-BRUNSWICK

Assurance-santé provinciale
Medicare
Téléphone : 1-888-762-8600

Assistance sociale
Services communautaires et à la famille - Développement des ressources humaines
Téléphone : 1-800-442-9799

Couverture des médicaments de soins palliatifs
Autorisation spéciale pour la couverture des médicaments
Téléphone : 1-800-332-3692

Programme de prestations de revenu supplémentaires pour les personnes handicapées
Voir Assistance sociale

Fonds du souvenir
Téléphone : Saint John, 506-658-9707 ou ligne gratuite 1-800-561-0505

Testament biologique
Procuration pour les soins personnels
Téléphone : 506-453-5369

Numéro d'information générale pour la province
Info-Line
Téléphone : 506-633-4636

TERRE-NEUVE

Assurance-santé provinciale
Medical Care Plan (MCP)
Téléphone : 1-800-563-1557

Assistance sociale
Ressources humaines et emploi
Téléphone : 709-729-2408 (demander les numéros de téléphone pour le district)

Aide à la vie quotidienne
Programme de prêt d'équipement de santé de la Croix-Rouge
Téléphone : 709-758-8414

Fonds du souvenir
Téléphone : 709-772-4716 ou ligne gratuite 1-888-579-4288
Anciens combattants
Téléphone : 1-800-565-1528

Testament biologique
Advanced Healthcare Directive
Dept of Health and Community Services
Téléphone : 709-729-3657

NOUVELLE-ÉCOSSE

Assistance sociale
Employment Support and Income Assistance - Human Resources
Téléphone : 902-424-6762 ou ligne gratuite 1-800-251-1623

Couverture des médicaments de soins palliatifs
Nova Scotia Senior's Pharmacare Program
Téléphone : 902-429-6565 ou ligne gratuite 1-800-544-6191
Medical Services Insurance (MSI) 1-800-563-8880
Site Web :   www.gov.ns.ca/cmns/overview/health.asp

Programme de prestations de revenu supplémentaires pour les personnes handicapées
Disabled Persons Commission
Téléphone : 902-424-8280 ou ligne gratuite 1-800-277-9914

Fonds du souvenir
Téléphone : 902-455-5283 ou ligne gratuite1-800-565-4777

Assistance en matière de besoins spéciaux des personnes âgées
Senior Citizen's Secretariat
Senior Information Line
Téléphone : 902-424-0065 ou ligne gratuite 1-800-670-0065
Courriel :   SCS@gov.ns.ca

ONTARIO

Assurance-santé provinciale
Programme de sécurité de l'emploi du gouvernement
Téléphone : 1-800-277-9914

Assistance sociale
Ministère des Services sociaux et communautaires de l'Ontario - Assistance sociale de l'Ontario
Téléphone : 613-376-1951 ou ligne gratuite 1-800-265-3790

Couverture des médicaments de soins palliatifs
Ministère de la Santé et des Soins de longue durée, Direction des programmes de médicaments
Téléphone : 416-327-8109

Fonds du souvenir
Téléphone : 416-932-1608 ou ligne gratuite 1-800-563-2508

Assistance en matière de besoins spéciaux des personnes âgées
Ministère de la Santé et des Soins de longue durée, Programmes de services d'assistance
Téléphone : 416-327-8804

Testament biologique
Ministère de la Santé et des Soins de longue durée
Téléphone : 1-800-268-1154
Site Web :   www.gov.on.ca/health

Guide gratuit pour le testament biologique
Téléphone : 1-888-910-1999
Site Web :   www.gov.on.ca/mczcr/seniors

ÎLE-DU-PRINCE-ÉDOUARD

Assurance-santé provinciale
Medicare
Téléphone : 902-838-0900 ou ligne gratuite 1-800-321-5492

Informations sur la santé
Health Information Resource Centre
Téléphone : 902-368-6526 ou ligne gratuite 1-800-241-6970
Island Helpline: 1-800-218-2885

Programme d'assistance provinciale pour le coût des médicaments
Provincial Pharmacy
Téléphone : 902-368-4947 ou ligne gratuite 1-877-577-3737

Programme provincial de soins palliatifs
Coordinateur du programme
Téléphone : 902-368-6190

Council of the Disabled
Téléphone : 902-892-9149

Fonds du souvenir
Section de l'Île-du-Prince-Édouard
Téléphone : 1-800-561-0505

Programme d'aide aux médicaments pour les personnes âgées
Téléphone : 1-877-577-3737

PEI Senior Citizens' Federation Inc.
Téléphone : 902-368-9008
Courriel :   peiscf@pei.aibn.com

QUÉBEC

- Dans la province de Québec, tous les médicaments nécessaires en fin de vie sont couverts par l'assurance publique ou privée.

- Toute personne de la province de Québec ayant besoin d'aide en matière de services de soins palliatifs à domicile est dirigée vers le Centre local de services communautaires (CLSC) de sa localité. Les CLSC sont responsables des services de soins à domicile dans la province. Ces services pourraient être légèrement différents d'un endroit à l'autre, mais ils comportent tous des services de soins à domicile.

- Les CLSC sont également responsables de tous les services sociaux et de l'assistance sociale. Ils dirigent toute personne ayant besoin d'aide vers les services concernés.

Centre local de services communautaires (CLSC)

Association des CLSC et des CHSLD du Québec
Pages blanches de l'annuaire téléphonique local ou
Téléphone : 514-931-1448
Site Web : www.clsc-chsld.qc.ca

Assurance-santé provinciale

Régie de l'assurance-maladie du Québec (RAMQ)
Téléphone : Montréal, 514-864-3411
             Québec, 418-646-4636
             Ligne gratuite 1-800-561-9749
Site Web :   www.ramq.gouv.ca

Assistance sociale

Ministère de l'Emploi et de la Solidarité sociale
Téléphone : 1-888-643-4721

Programme de prestations de revenu supplémentaires pour les personnes handicapées

Bureau du CLSC local (voir ci-dessus)

Assistance en matière de besoins spéciaux des personnes âgées

Bureau du CLSC local (voir ci-dessus)

Prestations de décès
Ministère de l'Emploi et de la Solidarité sociale
Téléphone : 1-888-643-4721

Fonds du souvenir
Téléphone : 514-866-2888 ou ligne gratuite1-800-866-5229

Testament biologique
Procuration en cas d'incapacité
Le curateur public
Téléphone : 1-800-363-9020
Site Web :   www.curateur.gouv.qc.ca

Affaires juridiques
Communication-Québec
Téléphone : 1-800-363-1363
Courriel :   communication-québec@mrci.gouv.qc.ca
Site Web :   www.gouv.qc.ca

Registre des décès
Directeur de l'état civil
Téléphone : 1-800-567-3900
Courriel :   etatcivil@dec.gouv.qc.cq
Site Web :   www.etatcivil.gouv.qc.ca

SASKATCHEWAN

Assurance-santé provinciale
Saskatchewan Health
Téléphone : 306-787-3124 ou ligne gratuite 1 800-667-7581

Assistance sociale
Saskatchewan Community Resources and Employment
Ligne gratuite : 1-877-696-7546

Couverture pour médicaments de soins palliatifs
Saskatchewan Health Drug Plan & Extended Benefits Branch Saskatchewan
Téléphone : 306-787-3420
Courriel :   dpebweb@health.gov.sk.ca

Programme de prestations de revenu supplémentaires pour les personnes handicapées
Saskatchewan Senior Citizens Provincial Council
Téléphone : 306-787-7432

Fonds du souvenir
Téléphone : 306-975-6045 ou ligne gratuite 1-800-667-3668

Assistance en matière de besoins spéciaux des personnes âgées
Ministry of Social Services Seniors' Secretariat
Téléphone : 1-800-667-7161

Saskatchewan Senior Citizens Provincial Council
Téléphone : 306-787-7432

Testament biologique
The Health Care Directives and
Substitute Health Care Decision Makers Act
Téléphone : 306-787-6281

YUKON

Assurance-santé provinciale
Yukon Health Care Insurance Services
Téléphone : 867-667-5209 ou 1-800-661-0408
Courriel :   hss@gov.yk.ca

Assistance sociale
Health and Social Services Government of Yukon
Téléphone : 867-667-3673 ou ligne gratuite 1-800-661-0408
Courriel :   hss@gov.yk.ca

Couverture des médicaments en soins palliatifs
Pharmacare
Téléphone : 867-667-5403

Programme de prestations du revenu supplémentaires pour les personnes handicapées
Insured Services
Health and Social Services Government of Yukon
Téléphone : 867-667-5209 ou ligne gratuite 1-800-661-0408, poste 5209
Courriel :   hss@gov.yk.ca

Fonds du souvenir
British Columbia Branch
Téléphone : 1-800-268-0248
Courriel :   lastpost@telus.net

Special Needs Assistance for Seniors
Extended Healthcare Benefits for Seniors
Téléphone : 867-667-5403 ou 1-800-661-0408
Courriel :   hss@gov.yk.ca

TERRITOIRES DU NORD-OUEST

Assurance santé territoriale : 1-800-661-0830
Assistance sociale : 1-800-661-0830
Couverture des médicaments de soins palliatifs : 1-800-661-0830
Site Web : http://www.hlthss.gov.nt.ca/default.htm

NUNAVUT

Assurance santé territoriale : 867-979-5700
Assistance sociale : 867-979-5700
Couverture des médicaments de soins palliatifs : 867-979-5700
Site Web : http://www.gov.nu.ca/hsssite/hssmain.shtml

Programme de soins de compassion

En janvier 2004, le gouvernement fédéral lance le Programme de soins de compassion dans le cadre du Programme de l'assurance-emploi. Le programme de soins de compassion inclut ce qui suit :

- Les nouvelles clauses permettront de verser jusqu'à six semaines de prestations spéciales aux bénéficiaires qui fournissent des soins ou un soutien à un membre de la famille gravement malade.

- Les bénéficiaires auront accès à cette nouvelle prestation spéciale de l'assurance-emploi s'ils ont travaillé 600 heures d'emploi assurable pendant la période de qualification (les mêmes règles que pour les programmes existants de prestations spéciales de l'AE, comme maladie, congé de maternité et de paternité).

- Les membres de la famille sont définis comme le conjoint ou le conjoint de fait, le parent, le conjoint ou le conjoint de fait d'un parent, d'un enfant ou l'enfant d'un conjoint ou partenaire de fait.

- La nouvelle prestation nécessite une période d'attente, mais quand les membres de la famille admissibles partagent les prestations, la période d'attente pourrait être annulée pour tous, sauf un membre de la famille.

- Les bénéficiaires doivent obtenir un certificat médical d'un médecin indiquant que le membre de la famille est gravement malade et qu'il risque de décéder au cours des 26 prochaines semaines (six mois) et qu'il est nécessaire que l'un des membres de la famille ou plusieurs fournissent au patient des soins et un soutien.

- Le gouvernement a également modifié en conséquence le Code du travail du Canada pour créer l'admissibilité à une période de congé pouvant aller jusqu'à huit semaines avec protection de l'emploi, au cours d'une période de 26 semaines, dans le but de fournir des soins prodigués avec compassion à un membre de la famille. Ceci signifie qu'un employé ne peut pas être congédié pour avoir pris jusqu'à huit semaines de congé afin de soigner un membre de la famille.

On trouvera des détails supplémentaires au site Web de Développement des ressources humaines Canada (DRHC) à http://www.hrdc-drhc.gc.ca/ae-ei/menu/faw/compassionate_care.shtml. Des informations sont également disponibles auprès du bureau de l'assurance emploi de votre collectivité.

Un réseau d'information et de soutien destiné aux personnes victimes de maladies mortelles et aux personnes faisant face à la perte de proches.

———

A network of information and support for people dealing with life-threatening illness and loss.

www.carrefourpalliatif.ca
www.virtualhospice.ca

CARREFOUR VIRTUEL CANADIEN
DES SOINS PALLIATIFS

———

CANADIAN VIRTUAL HOSPICE

Courriel : info@cvh-cvcsp.ca

✳ L'Ordre militaire et hospitalier de Saint-Lazare de Jérusalem

L'Ordre militaire et hospitalier de Saint-Lazare de Jérusalem est un ordre de chevalerie international fondé il y a 900 ans, lors des premières croisades. Depuis sa création, l'Ordre travaille auprès des lépreux, en terre sainte au temps des croisades, et depuis plusieurs centaines d'années, comme chef de file du combat contre la lèpre en Europe. De nos jours, l'Ordre soutient des programmes internationaux visant à soulager la souffrance des lépreux. Au Canada, l'Ordre axe son travail sur les soins palliatifs.

L'Ordre de Saint-Lazare au Canada, dont le nombre de membres s'élève à environ 550, est un organisme de charité bilingue, chrétien, œcuménique, dont les objectifs sont les suivants :

- soulager la souffrance des lépreux.
- soigner les personnes âgées, malades et dans le besoin.
- soutenir la recherche médicale.
- promouvoir l'œcuménisme.
- promouvoir l'unité nationale et les qualités de bon citoyen.

Dans tout le pays, on compte 11 branches, connues sous le nom de commanderies : Acadie (provinces maritimes), Québec, Montréal, Ottawa, Toronto, ouest de l'Ontario, Thunder Bay, Manitoba, Edmonton, Calgary et Colombie-Britannique.

Conscient du fait que le besoin de soulager la souffrance est une mission à l'échelle mondiale, le Grand Prieuré du Canada fournit une assistance à un certain nombre de projets internationaux majeurs comme :

- L'hôpital Little Flower à Bihar (Inde) est un centre de traitement pour les lépreux subventionné en partie par un don annuel.
- Le Centre de réadaptation McKean, près de Chiang Mai (Thaïlande) a construit une unité de soins spéciaux pour les lépreux grâce à des fonds remis par l'Ordre, qui accorde également un soutien permanent.
- L'hôpital Naini, à Uttar Pradesh (Inde), une unité d'hospitalisation pour les lépreux a été financée par l'Ordre, qui continue de soutenir son fonctionnement par le biais d'un don annuel.

Conformément à ses objectifs, l'Ordre soutient différents organismes et établissements aux niveaux national et local. Ces projets de soins palliatifs comptent en particulier :

Acadie
Meubles spécialisés pour soins palliatifs pour hôpitaux de communauté

Colombie Britannique
Palliative Care Unit, Royal Jubilee Hospital
Victoria Hospice Society

Calgary
Calgary Health Region, Palliative Care
Rosedale House

Edmonton
Kairos House
Capital Health Region, Palliative Care
Palliative Care Bursary,
Grant MacEwan College
Pilgrim's Hospice
Red Deer Hospice Society

Manitoba
Hospice Manitoba

Montréal
McGill University Health Centre,
Palliative Care
Hôpital Notre Dame Soins Palliatif
Lakeshore Hospice

Ottawa
Hospice at May Court
Perley & Rideau Veteran's Foundation
Hospice at the Union Mission
Sylvia House
Brockville General Hospital
Villa Marconi
Centre d'Accueil Roger Seguin, Gatineau

Québec
Fondation Marc André Jacques,
Broughton Est
Une bourse pour soins palliatifs pour un(e) étudiant(e) en soins infirmiers
CEGEP de Lévis

Thunder Bay
Regional Palliative Care
Information Web Site

Toronto
Baycrest Centre for Geriatric Care
Cedarbrook Home
Covenant House
C.M. Hinks Institute
Dorothy Ley Hospice
Hill House Hospice
Hospice Association of Ontario
HAO "Embracing Diversity" Conference
Hospice King-Aurora
Humber College Palliative Care
Conference
Palliative Care Information Centre
Rose Cherry's Home
The Palliative Care Foundation
Toronto Grace Health Centre
Palliative Care
Trinity Home Hospice
Wellspring

Ontario Ouest
Hospice Niagara
Brock University/St. Lazarus Palliative
Care Seminars

Les commanderies de Calgary et d'Edmonton sont ravies d'avoir soutenu la rédaction et la publication du Guide de l'aidant naturel.

Association canadienne de soins palliatifs

L'Association canadienne de soins palliatifs (ACSP) est le porte-parole national des soins palliatifs au Canada. C'est une association nationale de charité, sans but lucratif, dont la mission est de fournir un leadership en matière de soins palliatifs au Canada, afin d'alléger le fardeau de la souffrance, de la solitude et du chagrin.

L'ACSP s'efforce de réaliser sa mission par le biais de ce qui suit :

- collaboration et représentation;
- amélioration de la sensibilisation, des connaissances et des compétences reliées aux soins palliatifs dans le public, chez les professionnels de la santé et les bénévoles;
- élaboration de normes de pratique nationales pour les soins palliatifs au Canada;
- soutien accordé à la recherche sur les soins palliatifs;
- défense des intérêts en vue d'une amélioration des politiques de soins palliatifs, d'allocation de ressources et de soutien aux aidants naturels.

Depuis sa création en 1993, l'ACSP travaille en collaboration étroite avec les 11 associations provinciales de soins palliatifs (voir la section des ressources pour vous renseigner concernant la manière de contacter les associations provinciales) et avec d'autres organismes nationaux, comme la Coalition pour des soins de fin de vie de qualité.

L'ACSP va continuer d'aller de l'avant dans le but de veiller à ce que tous les Canadiens, où qu'ils vivent, aient un accès égal à des services de soins palliatifs de haute qualité, pour eux et leur famille.

Définition des soins palliatifs

Les soins palliatifs visent à soulager la souffrance, à améliorer la qualité de vie et à accompagner vers le décès.

Les soins palliatifs sont prodigués pour aider les patients et leurs proches à

- faire face aux problèmes physiques, psychologiques, sociaux, spirituels et pratiques de la maladie, ainsi qu'aux attentes, besoins, espoirs et craintes qui y sont associés;
- se préparer à accomplir les tâches de fin de vie définies par le patient et à affronter l'étape de la mort;
- surmonter les pertes et la peine pendant la maladie et le deuil

Les soins palliatifs visent à

- traiter tous les problèmes qui surviennent
- prévenir l'apparition de nouveaux problèmes
- promouvoir les occasions d'expériences enrichissantes, de croissance personnelle et spirituelle et d'accomplissement individuel.

Les soins palliatifs sont destinés aux patients atteints d'une maladie pouvant compromettre leur survie, ou qui risque d'être atteints d'une telle maladie, ainsi que leurs proches. Quel que soit le diagnostic posé, et indépendamment de l'âge, les soins sont fournis aux personnes qui ont des attentes ou des besoins non comblés et qui sont prêtes à accepter des soins.

Les soins palliatifs peuvent être associés au traitement de la maladie, ou devenir le pôle unique des soins.

Les soins palliatifs sont prodigués de façon optimale par une une équipe interdisciplinaire constituée d'intervenants possédant les connaissances et les compétences reliées à tous les aspects du processus de soins propre à leur champ de pratique. Ces intervenants suivent généralement une formation dans une école ou un organisme régi par des normes éducationnelles. Une fois qu'ils ont leur permis d'exercer, les intervenants ont l'obligation de respecter les normes d'éthique professionnelle fixées par les ordres ou les associations professionnelles.

Tiré du « Modèle de guide des soins palliatifs : fondé sur les principes et les normes de pratique nationaux» (c) ACSP 2002

Les origines des soins palliatifs

C'est à Dame Cicely Saunders qu'on attribue l'instauration du mouvement des centres de soins palliatifs (hospice) au Royaume-Uni, au milieu des années 1960, pour s'occuper des mourants.[1] En 1975, Balfour Mount inventait le terme «soins palliatifs» de façon à avoir un terme unique, acceptable tant en anglais qu'en français, pour introduire le mouvement au Canada (du latin palliare = recouvrir d'un manteau[2]).

Les deux mouvements ont connu beaucoup de succès tant au Canada qu'à l'échelle internationale. Les programmes de soins palliatifs étaient principalement créés dans les grands établissements de soins de santé, tandis que les maisons de soins palliatifs prenaient la forme de programmes communautaires autonomes, principalement menés par des bénévoles. Au fil du temps, ces initiatives individuelles de membres de la commuauté ont évolué pour former un mouvement homogène destiné à soulager la souffrance et améliorer la qualité de vie des personnes qui vivent avec une maladie ou qui vont en mourir.

En anglais, on a créé le terme «hospice palliative care» pour illustrer la convergence des deux formes de soins en un seul mouvement, et leurs normes de pratique communes. Il s'agit du terme accepté à l'échelle nationale pour décrire les soins visant à soulager la souffrance et à améliorer la qualité de vie. Notons cependant que la langue française a laissé tomber le terme «hospice», et que certains organismes anglophones continuent d'utiliser soit «hospice» soit «palliative care», ou tout autre terme similaire et acceptable, dans leur dénomination ou pour décrire les services qu'ils fournissent.

---

1 Saunders C. A personal therapeutic journey. BMJ 1996; 313(7072): 1599-601.
2 Little W, Fowler HW, Coulson J. The Shorter Oxford English Dictionary (Onions CT (ed.)). Toronto, Ontario: Oxford University Press, 1970: 1418. Tiré de :"A Model to Guide Hospice Palliative Care: Based on National Principles and Norms of Practice" (c) CHPCA, 2002

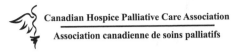 **Canadian Hospice Palliative Care Association**

Association canadienne de soins palliatifs

Saint Vincent Hospital, Annex B,
60 Cambridge Street North
Ottawa, Ontario K1R 7A5
Téléphone : (613) 241-3663 ou (800) 668-2785
Télécopieur : (613) 241-3986
Courriel : info@chpca.net   Site web : www.chpca.net

Réseau de soins palliatifs du Québec (AQSP)
Bureau 900
500, rue Sherbrooke Ouest
Montréal QC H3A 3C6
Téléphone : (514) 282-3808
Télécopieur : (514) 844-7556
Courriel : info@aqsp.org
Site web : http://www.aqsp.org/

BC Hospice Palliative Care Association
Room 502, Comox
Building
1081 Burrard Street
Vancouver BC V6Z 1Y6
Téléphone : (604) 806-8821
Télécopieur : (604) 806-8822
Courriel : bchpca@cheos.ubc.ca
Site web :
http://www.hospicebc.org/

Hospice Association of Ontario
Suite 201, 27 Carlton Street
Toronto ON M5B 1L2
Téléphone : (416) 304-1477
Service libre appel :
(800) 349-3111
Télécopieur : (416) 304-1479
Courriel : info@hospice.on.ca
Site web :
http://www.hospice.on.ca/
Hospice Lifeline:
Courriel :
info@hospicelifeline.com
Site web :
http://www.hospicelifeline.com

Hospice & Palliative Care Manitoba
2109 Portage Avenue
Winnipeg MB R3J 0L3
Téléphone : (204) 889-8525
Service libre appel :
(800) 539-0295
(Manitoba seulement)
Courriel :
info@manitobahospice.mb.ca
Site web :
www.manitobahospice.mb.ca/

Hospice Palliative Care Association of Prince Edward Island
c/o Prince Edward Home
5 Brighton Road
Charlottetown PE C1A 8T6
Téléphone : (902) 368-4498
Télécopieur : (902) 368-4498
Courriel : hpca@hospicepei.ca
Site web : www.hospicepei.ca/

New Brunswick Hospice Palliative Care Association
c/o Dr. Sydney Grant
University Faculty of Medicine
146 New Maryland Highway
New Maryland NB E3C 1H6
Téléphone : (506) 459-7029
Télécopieur : (506) 454-1650
Courriel :
sydgrant@nb.sympatico.ca

Newfoundland and Labrador Palliative Care Association

Third Floor
L.A. Miller Centre
100 Forest Road
St. John's NF A1A 1E5
Téléphone : (709) 777-8638
Télécopieur : (709) 777-8635
Courriel :
LaurieAnne.OBrien@hccsj.nf.ca

Nova Scotia Hospice Palliative Care Association
Colchester Regional
Hospital
207 Willow Street
Truro NS B2N 5A1
Téléphone : (902) 893-5554
Télécopieur : (902) 893-5839
Courriel :
lynn.yetman@cehha.nshealth.ca

Ontario Palliative Care Association
194 Eagle Street
Newmarket ON L3Y 1J6
Téléphone : (905) 954-0938
Service libre appel :
(888) 379-6666
Télécopieur : (905) 954-0939
Courriel : opca@neptune.on.ca
Site web :
www.ontariopalliativecare.org/

Palliative Care Association of Alberta
9808 – 148 Street
Edmonton AB T5N 3E8
Téléphone : (780) 454-4848
Télécopieur : (780) 413-9748
Courriel : pcareab@telus.net

Saskatchewan Hospice Palliative Care Association
Box 37053, Regina SK
S4S 7K3
Téléphone : (306) 585-2871
Télécopieur : (306) 790-8634
Courriel :
saskpalliativecare@sk.sympatico.ca
Site web :
www.saskpalliativecare.com/

NOTES POUR VOUS ET VOTRE INFIRMIÈRE